MOYEN AGE

1050-1486

Histoire de la Littérature Française

sous la direction de Daniel Couty

MOYEN AGE

1050-1486

par

Emmanuèle BAUMGARTNER
Professeur de littérature médiévale
à l'Université de Paris III, Sorbonne nouvelle

Bordas

Illustration couverture :
Erec et Enide
de Chrétien de Troyes (vers 1135-1183).
Manuscrit sur parchemin, XIVe siècle,
Bibliothèque nationale, Paris.
Photo © Bibl. nat., Archives Photeb.

ISBN 2-04-018139-3.

Sommaire

AVANT-PROPOS

Les historiens font traditionnellement commencer le Moyen Âge en 476, à la chute de l'Empire romain d'Occident. Ils en situent la fin dans la seconde moitié du XVe siècle. Dans cette « longue durée », l'apparition d'une littérature en langue vernaculaire (en « roman », puis en ancien français et en ancien occitan) est un phénomène assez tardif. Quelques textes nous ont été conservés du IXe au XIe siècle, de la *Séquence de sainte Eulalie* à la *Vie de saint Alexis,* mais ce n'est que vers 1100, avec la *Chanson de Roland,* puis au cours du XIIe siècle, que la production littéraire en langue d'oïl et en langue d'oc acquiert une certaine densité. L'objet de ce volume est donc l'étude des textes littéraires français et occitans composés de 1050 environ au règne de Louis XI (1461-1483).

Des éléments de bibliographie concernant plus précisément le domaine étudié sont donnés à la fin de chaque chapitre. Mais sont ici regroupés les collections de textes médiévaux et de traductions les plus fréquemment citées, les bibliographies ainsi que les essais et histoires de la littérature qui traitent d'ensemble la période considérée et qui nous ont souvent été une aide précieuse.

BIBLIOGRAPHIE

Collections de textes

Classiques français du Moyen Âge (C.F.M.A.), Pairs, Champion.

Textes littéraires français (T.L.F.), Genève, Droz.

Société des Anciens Textes Français (S.A.T.F.), Picard, Paris.

Traductions

Traductions, chez Champion, de nombreux textes parus dans les CFMA ; textes et traductions ou traductions seules parus dans : Bibliothèque médiévale, 10/18 ; Stock/Moyen Âge ; Poésie Gallimard ; Folio, Gallimard ; Classiques Garnier-Flammarion.

Bibliographies

R. Bossuat, *Manuel bibliographique de la littérature française du Moyen Âge* (Librairie d'Argences, 1951), *suppléments* en 1955 et 1961 ; *Troisième supplément* (1960-1980) par J. Monfrin et F. Vielliard, éd. du CNRS, 1986.

Bibliographies annuelles

O. Klapp, *Bibliographie der französischen Literaturwissenschaft,* Francfort-sur-le-Main, Klostermann (à partir de 1960).

Cahiers de Civilisation médiévale (pour les textes antérieurs à 1230).

Histoires de la littérature médiévale

P.-Y. Badel, *Introduction à la vie littéraire du Moyen Âge,* Bordas, 1969.

D. Boutet et A. Strubel, *Littérature, Politique et Société,* PUF, 1979.

M. Gally et Ch. Marchello-Nizia, *Littératures de l'Europe médiévale,* Magnard, 1985.

Grundriss der romanischen Literaturen des Mittelalters (GRMLA) (sous la direction de H. Jauss et E. Kohler) Heidelberg, Carl Winter, 1972 et années suivantes, t. I et *sq.*

P. Le Gentil, *la littérature française du Moyen Âge,* A. Colin, Paris, 4e éd. 1972.

J.-Ch. Payen, *Littérature française, le Moyen Âge, I, Des origines à 1300,* Arthaud, 1970 ; une nouvelle édition mais remaniée et allant jusqu'en 1430 est parue en 1984, sous le même titre, dans la Collection Littérature française/Poche, Arthaud.

D. Poirion, *le Moyen Âge II, ~1300-1480,* Arthaud, 1971.

D. Poirion *(et alii), Précis de littérature française du Moyen Âge,* PUF, 1983.

P. Zumthor, *Essai de poétique médiévale,* Le Seuil, 1972.

REPÈRES HISTORIQUES

L'ESPACE-TEMPS MÉDIÉVAL

La littérature médiévale en langue vernaculaire apparaît dans un espace, l'Europe occidentale, dont les différents peuples ont conscience d'appartenir à une même communauté : la chrétienté. Depuis 1054 cependant, cette communauté est divisée entre les catholiques romains qui reconnaissent l'autorité du pape et les grecs orthodoxes dont le chef spirituel est le patriarche de Constantinople.

L'Europe occidentale est alors en pleine expansion. En 1066, par la bataille d'Hastings, le duc de Normandie Guillaume devient roi d'Angleterre. À la même époque, d'autres Normands s'installent en Italie du Sud puis en Sicile. La Méditerranée, qui était devenue un « lac sarrasin », est de nouveau ouverte aux Européens de l'Occident qui, à la faveur des Croisades, s'établiront au Proche-Orient et dans les îles de la Méditerranée orientale (Chypre). En Espagne, la *reconquista* du pays sur les Sarrasins s'organise à partir de 1050 mais ne s'achève qu'au XIIIe siècle. En Europe centrale, à partir de l'an mil, la Pologne, la Hongrie s'intègrent progressivement à la chrétienté.

Inventé au XVIe siècle par les humanistes, le terme de Moyen Âge est significatif du mépris dans lequel fut longtemps tenue une période considérée comme transition malheureuse entre l'Antiquité classique et la Renaissance. Il ne rend guère compte déjà de la conscience que les hommes du Moyen Âge eurent de leur temps et de leur « modernité ».

Le sixième âge

Le Moyen Âge vit sur la conception chrétienne d'un temps qui a un commencement (la Création du monde), un devenir et une fin (le Jugement dernier). Dans ce temps linéaire, l'incarnation du Christ fait une coupure nette entre l'avant et l'après de la Révélation. À partir de saint Augustin au moins se met en place une périodisation élaborée qui distingue dans le temps cinq âges antérieurs à la Révélation et un sixième âge, ouvert, dont Dieu seul connaît le terme exact. Cependant le retour des saisons, des fêtes liturgiques, qui scandent l'année, le retour des heures canoniales, qui scandent l'alternance essentielle jour/nuit, laissent très vive la conscience d'un temps cyclique. Bien des textes médiévaux, la poésie lyrique par exemple ou les romans arthuriens, jouent de cette tension entre temps cyclique et temps linéaire. Le Moyen Âge a été également très sensible à toutes les formes de prophéties, d'annonces concernant la fin des temps, le règne de l'Antéchrist et la venue du Jugement dernier.

La *translatio imperii et studii*

Vivre dans le temps d'après la Révélation crée chez le clerc médiéval un sentiment de supériorité par rapport aux Anciens dont il reconnaît par ailleurs la stature intellectuelle et l'autorité. Dans le prologue des *Lais*, Marie de France dit sa certitude de pouvoir gloser les textes des Anciens et de leur apporter un *surplus* de sens. Au XIIe siècle se développe en effet l'idée d'un déplacement, d'un transfert de la culture (du *studium*) et de son équivalent médiéval (la *clergie*), de la Grèce à Rome puis de Rome en France et dans l'Angleterre normande. Ce transfert *(translatio)* vient ainsi se superposer à la conception plus ancienne de la *translatio imperii,* du transfert du pouvoir (de la prouesse) de l'Orient, où tout naît, à l'Occident où tout s'achève. Déjà riche de la Révélation, l'Occident chrétien est ainsi perçu (dans le prologue du *Cligés* de Chrétien de Troyes, par exemple) comme le point d'aboutissement, voire d'ancrage définitif, de cette lente dérive de la chevalerie et de la *clergie.*

Mythes d'origine

Dès le VIIe siècle s'élabore une légende qui fait de Troie l'orientale, détruite par la trahison des Grecs, l'ancêtre commun de presque tous les peuples de l'Occident mais en premier lieu des Francs, puis des Normands, conquérants de l'Angleterre, eux-mêmes héritiers spirituels des Bretons insulaires. Dans le parcours que dessine la légende et que jalonnent aussi bien les chroniques « historiques » normandes du XIIe siècle que les romans « antiques » et les romans arthuriens, la France et l'Angleterre normande apparaissent comme l'ultime réincarnation de la puissance et de la civilisation troyennes à l'autre bout ou presque de l'espace connu. Très vivace pendant tout le Moyen Âge, réactivée sous le règne de Charles VI, la légende de l'origine troyenne des Francs se retrouve encore au début du XVIe siècle chez Jean Lemaire de Belges. Elle n'est peut-être que la manifestation la plus visible de l'intérêt qui pousse l'homme médiéval à cerner son origine, à préserver le souvenir de son passé. À la « généalogie » de l'Occident que met en place la légende troyenne fait ainsi écho le développement, à partir du XIe siècle, de textes dressant des généalogies de familles nobles et, à partir du XIIe siècle, des chroniques historiques en langue française écrites à l'intention des laïcs et leur donnant la possibilité de revenir sur un passé proche ou lointain.

LE MONDE FÉODAL : 1080-1225

« Fermentation de toutes choses, bourgeonnement un peu désordonné, audace créatrice », tels sont les termes qu'emploie Georges Duby dans son *Histoire de la civilisation française* (p. 75) pour définir le XIIe siècle français, le « siècle du grand progrès ».

L'expansion et le dynamisme qui caractérisent en tous domaines cette période sont d'abord liés à un important essor démographique qu'accompagnent le développement des défrichements de terre — la forêt recule — et une amélioration sensible des techniques et des productions agricoles. La situation des paysans devient un peu moins misérable. Mais l'expansion profite aussi et surtout au monde des seigneurs. Leurs ressources en nature, en argent, augmentent et les nouvelles conditions économiques favorisent l'élargissement, autour des plus puissants, de la cour, c'est-à-dire du groupe composé des hommes du seigneur et de ses domestiques et, à plus long terme, le développement dans l'espace du château d'une vie sociale plus raffinée où les femmes ont pu jouer un rôle important.

La féodalité

À partir du IXe siècle, devant la faiblesse croissante du pouvoir royal, les seigneurs s'étaient progressivement unis les uns aux autres par des liens personnels. On a appelé féodalité ce système de relations selon lequel un homme contracte des obligations d'obéissance et de service (essentiellement militaire) envers un seigneur dont il devient le vassal. En échange, le seigneur doit le protéger et l'entretenir. L'engagement est scellé par la cérémonie de l'hommage au cours de laquelle des serments sont échangés. L'obligation d'entretien tend à se concrétiser par la concession au vassal d'une terre, le fief.

Au Xe siècle, le principe de l'hérédité du fief est acquis. Les ressources qu'il procure permettent au vassal d'entretenir écuyer(s), cheval, équipement et de s'exercer à la technique du combat à cheval et à la lance (la joute).

La fonction militaire est alors exercée par ceux qui vivent dans l'entourage immédiat du seigneur, ceux qu'il « nourrit », mais aussi et surtout par ceux qui possèdent des domaines. Le groupe des guerriers, la chevalerie, tend ainsi à se confondre avec l'aristocratie terrienne.

À partir du XIe siècle, l'état de chevalier devient héréditaire et la chevalerie se constitue en « ordre» qui organise son rituel initiatique (cérémonie de l'adoubement) et que cimente un mode de vie où les guerres et leurs substituts, les tournois, constituent l'activité essentielle. La cohésion de cette société est doublement assurée par les liens vassaliques mais aussi par les liens lignagiers. L'unit également la reconnaissance d'un certain nombre de valeurs : respect de l'honneur du lignage et surtout respect des serments échangés, de la foi donnée. La félonie, le manquement à la « foi », devient l'un des crimes majeurs du code chevaleresque.

La paix de Dieu

Dès l'an mil se développe, sous l'impulsion de l'Église, un mouvement, la Paix de Dieu, dont la fonction première est de protéger les clercs, ceux qui ne portent pas d'armes, des exactions et des pillages provoqués par les guerres entre seigneurs. S'y adjoint ensuite un certain nombre de mesures interdisant la guerre à des périodes déterminées (carême, dimanches et fêtes, etc.). À partir de 1050 enfin, l'Église condamne la guerre entre chrétiens tout en développant le concept de la guerre juste, celle que doit mener la chevalerie pour la défense de la chrétienté contre les Infidèles. Tout en s'efforçant de canaliser la violence de la chevalerie, la Paix de Dieu lui propose ainsi une nouvelle image et une nouvelle mission du chevalier, présenté comme le *miles Christi,* le soldat du Christ. Image incarnée concrètement, à partir du XIIe siècle, par des ordres militaires comme les Templiers et les Hospitaliers, moines-soldats voués à la conquête et à la défense de la Terre sainte.

Les Croisades

L'histoire des Croisades dépasse largement le cadre de cette période : la croisade se situe, en amont, dans le sillage des pèlerinages à Jérusalem, ininterrompus du IVe au XIe siècle. Une première manifestation en est, vers le milieu du XIe siècle, la *reconquista* espagnole. À la fin du XIe siècle, au cours du XIIe siècle, trois grandes croisades ont comme but Jérusalem et, au XIIIe siècle, Louis IX tente à deux reprises de venir au secours de la Terre sainte mais, au début du siècle, la quatrième croisade « dévie » sur Byzance.

Aux XIVe et XVe siècles enfin, plusieurs projets et tentatives de croisade ont comme objectif d'enrayer l'avance turque en Asie Mineure.

Les motivations des croisés diffèrent selon les groupes sociaux engagés et les Croisades elles-mêmes. L'élan religieux, au moins pour la première croisade, qui aboutit en 1099 à la prise de Jérusalem et à la fondation des États latins de Terre sainte, reste cependant primordial. La croisade est d'abord un moyen de faire son salut en souffrant et en mourant à l'imitation du Christ, sur les lieux où se sont déroulées sa vie et sa Passion. Délivrer la Terre sainte, c'est aussi, pour la chevalerie, délivrer le fief que le Christ s'est choisi comme espace de son Incarnation. L'honneur de la chevalerie est donc engagé dans ce service divin *et* féodal qu'est la croisade.

Les Croisades, puis l'établissement des croisés au Proche-Orient, n'ont guère fait progresser la connaissance et la reconnaissance de l'Islam par les chrétiens (et réciproquement). En revanche, l'attitude très ambiguë de l'empire byzantin à l'égard des croisés développe au cours du XIIe siècle une méfiance à l'égard des Grecs de Byzance qui se double d'une fascination éblouie pour le raffinement et le luxe de cette civilisation. En 1204, la quatrième croisade aboutit à la prise et au pillage de Byzance et à l'établissement des États latins de Grèce (la *Romanie*) qui persisteront jusqu'au XIVe siècle.

Les principautés

Au cours du Xe siècle s'était formé un certain nombre d'États indépendants, les principautés, dont les possesseurs sont, de fait, de véritables souverains ; au XIIe siècle cependant, ils reconnaissent comme seigneur le roi de France auquel ils prêtent hommage. Parmi les plus importants de ces princes territoriaux on peut citer les comtes de Toulouse, dont la domination s'étend pratiquement sur tout le midi de la France, les ducs de Bourgogne, les comtes de Champagne, les comtes de Flandre mais surtout la dynastie des Plantagenêts. Comte d'Anjou et du Maine, Geoffroy de Plantagenêt conquiert en 1144 le duché de Normandie. Le mariage, en 1152, de son fils Henri II avec Aliénor, comtesse de Poitiers, duchesse d'Aquitaine (qui vient de divorcer du roi de France Louis VII), puis l'accession en 1154 du couple au trône d'Angleterre aboutissent à la formation, au milieu du siècle, d'un vaste ensemble territorial. « L'espace Plantagenêt » qui va des Pyrénées à l'Écosse et couvre la moitié occidentale de la France est alors l'un des centres culturels, artistiques et littéraires les plus importants du XIIe siècle.

La monarchie capétienne

Face à ces grandes principautés, le domaine des Capétiens, pourtant bien situé et riche en ressources, est de dimensions modestes : il s'étend, au début du siècle, de Compiègne à Orléans. Louis VI puis Louis VII doivent lutter pour établir leur autorité à l'intérieur de ce territoire et sur leurs grands vassaux. Mais les Capétiens surent aussi, avec l'aide de l'Église, s'imposer au sommet de la hiérarchie féodale, faire reconnaître leurs prérogatives de suzerains — le roi de France n'est le vassal de personne — et le caractère sacré du roi (l'oint de Dieu) et de la fonction royale. C'est cependant avec Philippe Auguste (1180-1223) que la royauté capétienne a accompli des progrès décisifs.

L'espace urbain

Tout au long du XIIe siècle, les villes n'ont cessé de se développer. Elles regroupent au XIIIe siècle une part importante de la population. Les habitants y sont liés par le système des confréries, sociétés de secours mutuel mais qui organisent aussi fêtes, processions, manifestations théâtrales, etc. Les artisans spécialisés sont rassemblés en communautés professionnelles, les corporations, qui réglementent les différents métiers. Les différences sociales qui s'accentuent entre les oligarchies bourgeoises qui dominent les cités et le menu peuple, le « commun », sont source de tensions et de révoltes parfois très violentes. Mais ce nouveau patriciat constitue aussi une nouvelle clientèle pour les artistes, un nouveau public pour les écrivains. L'émergence de la ville et de la société urbaine dans les structures féodales a eu ainsi des conséquences importantes dans les domaines culturel et artistique.

Le renouveau du monachisme.

À la fin du XIe siècle et au début du XIIe siècle, de nouveaux ordres religieux se sont créés, témoignant du désir d'ajuster la vie monastique à l'esprit de l'Évangile, tandis que l'érémitisme connaît un grand essor. À Fontevrault (où se retire et meurt Aliénor d'Aquitaine), Robert d'Arbrissel fonde un monastère double (d'hommes et de femmes) qu'il soumet à l'autorité d'une abbesse. En 1098, Robert de Molesme, désireux de restaurer dans sa pureté la règle de saint Benoît contre le laxisme des moines de Cluny, fonde Cîteaux où fait profession en 1112 un jeune noble, le futur saint Bernard. En 1115, Bernard fonde à son tour l'abbaye de Clairvaux. De 1130 à 1150, devenu le maître spirituel et le mentor de l'Occident chrétien, Bernard assure par son action et sa prédication l'essor et le rayonnement de l'ordre cistercien tout en proposant une nouvelle forme de spiritualité et une « théologie mystique » (É. Gilson) principalement fondée sur l'amour de Dieu.

L'hérésie cathare

Mais c'est également au XIIe siècle que se développe un courant hérétique dont la plus importante manifestation est le catharisme. Cette doctrine qui se répand très rapidement dans le Midi (Languedoc et région d'Albi d'où le nom d'Albigeois) présente des rapports avec le manichéisme oriental. Elle condamne absolument la matière, incarnation du mal. Ses fidèles et leurs chefs spirituels, les Parfaits, mettent en cause l'autorité du pape et du clergé et la valeur des sacrements de l'Église. Prêchée par le pape Innocent III, la croisade albigeoise, à laquelle participèrent des seigneurs du Nord de la France, fut une guerre sanglante et impitoyable. La guerre, le rattachement en 1229 des domaines des comtes de Toulouse au royaume de France, la répression religieuse que mène l'Inquisition (animée par les ordres mendiants et surtout les Dominicains) sont autant d'entraves sinon d'atteintes décisives, au XIIIe siècle, à la culture et à la civilisation occitanes.

LE XIIIe SIÈCLE : LE SIÈCLE DE SAINT LOUIS

Le XIIIe siècle, qui fut pour la France une époque de paix, de prospérité et de rayonnement, est souvent appelé le siècle de Saint Louis, compte tenu de l'importance du règne, de la personnalité et du prestige d'un roi qui sut jouer en Europe un rôle de médiateur et d'arbitre et que l'Église canonisa dès 1297.

Le règne de Louis IX (1226-1270)

Très influencé par la spiritualité franciscaine, Louis IX voulut gouverner dans la paix et dans la justice. En 1259, le traité de Paris met fin à un siècle de conflits entre la France et l'Angleterre. Le roi d'Angleterre gardait cependant, au titre de vassal du roi de France, la Guyenne, une partie du Périgord et du Limousin. Les tensions que provoquera cette situation complexe, en Guyenne notamment, seront l'une des causes de la guerre de Cent Ans.

Louis IX mena également une réforme de la justice. Bien des ordonnances qu'il prit concernent l'orthodoxie de la foi et des mœurs (interdiction de blasphémer, de jouer aux dés, mesures discriminatoires contre les juifs) et ne furent pas trop bien acceptées par l'opinion publique. Mais, en étendant à tout le royaume les *cas royaux* (la possibilité du « droit d'appel » à la justice royale), Louis IX sut établir un lien réel avec les habitants de son royaume qui devinrent véritablement ses sujets. À la réforme de la justice est liée celle du Parlement, cour de justice qui devint, sous Philippe le Bel, la plus puissante des institutions monarchiques.

Louis IX et la Terre sainte

Décidée alors que la situation s'aggravait en Terre sainte et que les Mongols s'avançaient en Europe centrale, la croisade de 1248 eut pour objectif l'Égypte et commença par la prise de Damiette ; mais, fait prisonnier lors du désastre de la Mansourah, le roi dut payer une lourde rançon pour lui et ses vassaux. Il profita cependant de son long séjour en Syrie pour réorganiser militairement et politiquement ce qui restait des États latins. Il dut toutefois renoncer au projet d'une alliance politique et religieuse avec les Mongols qui aurait permis de prendre l'Islam à revers. C'est au cours d'une seconde expédition dirigée contre Tunis que le roi mourut de la peste à Sidi-Bousaïd.

Les ordres mendiants. Les querelles universitaires

Au début du XIIIe siècle, la naissance, autour de saint François et de saint Dominique, des ordres mendiants bouleverse les données et les structures de la vie religieuse. Vivant des dons qu'ils reçoivent, concevant le couvent comme lieu de ressourcement et d'étude (et non comme une résidence), multipliant leurs « maisons » à la périphérie des villes ou déployant une intense activité de missionnaires (Guillaume de Rubrouck et Jean de Plan Carpin par exemple ont laissé de leurs missions auprès des Mongols de très intéressantes relations), Franciscains et Dominicains mettent l'accent sur l'action et la prédication en milieu urbain et auprès des publics les plus divers. La prédication des Franciscains est surtout prédication de pénitence et de morale. Elle exalte le culte de la Vierge, la dévotion au Christ enfant, mais aussi à sa Passion. Les solides études des Dominicains en font des théologiens de premier plan. C'est de ces deux ordres que proviennent les grands « docteurs », philosophes et intellectuels du XIIIe siècle : Bonaventure, Albert le Grand, Thomas d'Aquin, Roger Bacon, Duns Scot. Mais ce sont également ces ordres qui prennent en main l'Inquisition et se font les garants acharnés de l'orthodoxie religieuse.

Très soutenus par la Papauté mais aussi par Louis IX, ardent défenseur des Mendiants, les Frères obtiennent en 1229, à la faveur d'une grève de l'Université de Paris, le droit d'enseigner la théologie à l'université. Une longue série de querelles les oppose ensuite aux maîtres séculiers. En 1256, le traité composé par l'universitaire Guillaume de Saint-Amour contre les Mendiants (le *De Periculis*) est condamné par le pape et Guillaume doit s'exiler tandis que le dominicain Thomas d'Aquin et le franciscain Bonaventure obtiennent le droit d'enseigner en Sorbonne. Jean de Meun et Rutebeuf, qui adoptent le parti des maîtres séculiers, se font largement l'écho de ces querelles. Dans leurs écrits, le moine mendiant, le *Faux-Semblant* de Jean de Meun, devient l'incarnation détestable de l'hypocrisie religieuse, du faux dévot.

Les successeurs de Louis IX : Philippe III le Hardi (1270-1285) et Philippe IV le Bel (1285-1314)

La fin du XIIIe siècle est marquée en France et en Europe par un renversement total de la conjoncture économique. Le mouvement d'expansion qui sous-tendait depuis trois siècles la prospérité de la France est ralenti dès 1270 puis cesse. Commence une période de stagnation, de régression de la production et des échanges.

Sous le règne de Philippe le Bel et suscités par les difficultés économiques, éclatent des troubles sociaux et des révoltes. La révolte du comté de Flandre (l'armée royale est battue à Courtrai en 1303 par les milices flamandes) est durement réprimée. Mais la question de Flandre — un pays qui est partagé entre l'obédience à la France et sa dépendance économique envers l'Angleterre qui lui fournit la laine brute, base de son industrie drapière — sera l'un des éléments importants de la guerre de Cent Ans.

Pour remédier aux difficultés financières, Philippe le Bel procède à des refontes de la monnaie dont il fait varier le taux suivant ses besoins, désorganisant ainsi le jeu économique. On sait également comment il confisqua en 1306 les biens des juifs mais aussi des banquiers italiens (les Lombards) et comment le procès des Templiers, leur exécution et l'abolition de leur ordre lui permirent de s'emparer également de leurs biens.

Le règne de Philippe le Bel est cependant une période essentielle au cours de laquelle s'achève une importante mutation de l'image royale, déjà amorcée sous Louis IX, et qui fait du roi non plus un suzerain féodal mais un monarque exerçant un pouvoir souverain sur ses sujets. Sont alors définitivement organisés les grands corps de l'État : le Conseil du roi où, à côté des membres de droit (princes de sang, hauts prélats, grands barons), siègent des conseillers de rang plus modeste choisis par le roi, le Parlement, qui devient une véritable cour de justice, et la Chambre des comptes qui contrôle les dépenses et recettes du roi.

Le développement de ces instances est lié à l'essor des légistes dont l'influence sous Philippe le Bel devient prépondérante. On appelle ainsi ceux qui, se consacrant à l'étude du droit romain, modèle, à leurs yeux, d'ordre et de logique, entreprirent d'organiser le royaume sur ces nouvelles bases. Conseillers du roi, notaires à la chancellerie, maîtres des comptes, avocats, procureurs, etc., formèrent progressivement un nouveau milieu dont l'importance, au plan politique mais aussi au plan intellectuel et culturel, ira grandissant au XIVe siècle (sous Charles V) et au XVe siècle et qui est à l'origine de la *noblesse de robe* des Temps modernes. L'un des conseillers du roi, Guillaume de Nogaret, a joué un rôle de première importance dans le procès des Templiers et dans le conflit de Philippe le Bel avec le pape.

En 1305 en effet, et au terme d'un violent conflit avec le pape Boniface VIII (attentat d'Agnani en 1303), Philippe le Bel fait élire un pape français, Clément V, qui s'installe en Avignon en 1309. La victoire de Philippe le Bel sur la Papauté marque le terme des prétentions des papes à établir leur suprématie sur les rois et fonde l'indépendance politique des princes et des États face à la Papauté.

Sous les règnes de Clément VII (1378-1394) et de Benoît XIII (1394-1423), la cour d'Avignon devint un lieu d'échanges entre les humanistes et les milieux lettrés français.

LA FIN DU MOYEN ÂGE : XIVe ET XVe SIÈCLES

Les misères des temps

Le XIVe siècle a été vécu par les contemporains eux-mêmes comme une période de crise politique, religieuse, sociale, et de dépression économique. La crise qui s'amorce dès la fin du XIIIe siècle est précipitée et aggravée par la très longue guerre que les historiens ont appelée la guerre de Cent Ans. Trois facteurs se conjuguent :

— *La réapparition de la famine* (à partir de 1315), d'abord causée par un surpeuplement, accentuée par de très mauvaises conditions climatiques, et qui entraîne enfin une régression démographique.

— *La réapparition de la peste.* Une première attaque, la Peste noire (1348-1350), qui sera suivie de nombreuses récidives, ravage toute l'Europe et en bouleverse l'équilibre démographique. Mais elle bouleverse également les esprits, développant un nouveau type de comportement face à la mort, réveillant les violences contre les juifs, suscitant des formes exacerbées de pratiques religieuses (les Flagellants par exemple).

— *La guerre.* Les batailles font assez peu de victimes mais une part notable de la noblesse connaît de longues périodes de captivité et d'exil. D'autre part, les chevauchées militaires, les exactions et les violences des soldats, même pendant les périodes de trêves (les *Grandes Compagnies* que réduira un temps Du Guesclin, les *Écorcheurs* sous Charles VII), entretiennent un sentiment permanent d'insécurité et de peur.

Les misères des temps, l'instabilité, la fragilité des êtres, des choses, des fortunes se résolvent parfois en un désir de jouissances immédiates. Sous le règne de Charles VI surtout, le goût immodéré des fêtes, la liberté certaine des mœurs, rencontrent bien des censeurs.

Les calamités naturelles, la guerre, le poids de l'impôt,

etc., entraînent des soulèvements paysans comme la Jacquerie de 1358 qui éclate dans l'Est et le Nord du Bassin parisien et que réprime durement Charles de Navarre, dit Charles le Mauvais.

L'incapacité de la noblesse à défendre le royaume, mais aussi ces crises de l'autorité royale que sont le temps de captivité de Jean le Bon après Poitiers ou la folie de Charles VI à partir de 1392, suscitent des désordres graves comme la révolte des bourgeois de Paris, menée par Étienne Marcel de 1355 à 1358 et dont triomphe le dauphin, le futur Charles V. Pendant la folie de Charles VI, le pouvoir passe aux mains des princes du sang : des rivalités meurtrières opposent Louis d'Orléans, frère du roi, au duc de Bourgogne, Jean sans Peur, qui le fait assassiner en 1407 ; la France est alors ravagée par une guerre civile qui oppose les partisans de Louis d'Orléans, les Armagnacs, aux partisans du duc de Bourgogne.

Une autre source de désarroi est le Grand Schisme, c'est-à-dire l'existence, à partir de 1378, de deux papes : le pape d'Avignon, soutenu par la France, et le pape de Rome que reconnaissent l'Angleterre et la plus grande partie de l'Italie et de l'Empire. L'une des conséquences du Grand Schisme fut de favoriser le développement d'églises nationales soumises à l'autorité royale. Une autre fut d'inciter un certain nombre de fidèles à vivre leur foi en dehors de la hiérarchie religieuse, dans un contact direct avec Dieu, et, à plus long terme, de susciter en Europe de nouvelles manifestations d'hérésies qui annoncent déjà la Réforme protestante.

La guerre de Cent Ans

La guerre de Cent Ans peut être divisée en quatre périodes :

— Une première phase (1337-1360) est celle des victoires anglaises : Crécy (1346), prise de Calais (1347), Poitiers (1356) où Jean le Bon est fait prisonnier et doit payer une lourde rançon. Le traité de Brétigny (1360) rétablit la paix mais laisse au roi d'Angleterre (qui renonce à ses droits sur la couronne de France) tout le Sud-Ouest de la France, le Ponthieu et Calais.

— Le règne de Charles V est une phase de succès français. Le roi engage des compagnies soldées qu'il confie à Bertrand Du Guesclin. Le connétable mène une guerre d'escarmouches et de sièges qui aboutit à la reconquête des places fortes cédées à Brétigny et à une trêve de trente-cinq ans. À la mort de Charles V, en 1380, les Anglais ne conservent que quelques places fortes dont Calais.

— Les hostilités reprennent au XVe siècle en pleine guerre civile française : Henri V d'Angleterre écrase les chevaliers français à Azincourt en 1415. Le duc de Bourgogne s'empare de Paris et le dauphin, le futur Charles VII, se réfugie au sud de la Loire. Les Bourguignons s'allient aux Anglais et signent en 1420 le traité de Troyes : le dauphin est déshérité ; Henri V épouse une fille de Charles VI et est reconnu comme l'héritier présomptif du trône de France. Cependant, après la mort, en 1422, d'Henri V et sous l'impulsion de Jeanne d'Arc, la lutte recommence. Jeanne d'Arc reprend Orléans en 1429 et emmène le dauphin se faire sacrer à Reims. Mais elle échoue devant Paris et, capturée en 1430 par les Bourguignons qui la livrent aux Anglais, elle est brûlée comme sorcière à Rouen en 1431.

— L'événement décisif est alors le traité d'Arras (1435) par lequel le duc de Bourgogne, Philippe le Bon, abandonne l'alliance anglaise. En 1436, Paris est repris et, en 1444, est signée une trêve avec l'Angleterre. Trêve que met alors à profit Charles VII pour réduire les bandes des Écorcheurs, créer et organiser une armée permanente — les *compagnies de l'ordonnance du roi* — et développer son artillerie. Au cours des années 1449-1453, la Normandie puis la Guyenne sont reprises. La capitulation de Bordeaux, en 1453, marque la fin de la guerre.

Les principautés. Les États bourguignons

Dès l'époque des Capétiens directs, les rois de France ont eu pour coutume de donner à leurs fils cadets, les *princes des fleurs de lis,* des apanages (des territoires détachés du domaine royal et concédés en fief). Sous Jean le Bon, les quatre frères du dauphin Charles reçurent ainsi les duchés de Berry, d'Anjou, de Bourbon et de Bourgogne. À côté des apanages subsistent, sur le territoire de la France au XIVe et au XVe siècles, d'autres grands fiefs, dont les princes sont de véritables souverains, comme le duché de Bretagne, le comté de Foix et de Béarn ou, en dehors du royaume, le comté de Provence.

Outre leur rôle politique, souvent de premier plan, ces princes et leurs cours — il suffira de citer ici Jean de Berry, grand amateur d'art et collectionneur de manuscrits, la cour de Louis d'Orléans, frère de Charles VI, le destin littéraire de son fils, Charles d'Orléans, prince et poète, ou la cour de René d'Anjou, comte de Provence — ont tenu une place prépondérante dans la vie intellectuelle, artistique et littéraire de la fin du Moyen Âge.

Le fils de Jean le Bon, Philippe le Hardi, duc de Bourgogne, avait épousé en 1384 Marguerite, héritière de Flandre. Au XVe siècle, gouvernés par leur petit-fils, Philippe le Bon (1419-1467), les États bourguignons se sont considérablement développés et organisés. Ils comprennent des pays qui comptent parmi les plus riches d'Europe. Sous Philippe le Bon, la cour de Bourgogne (qui se fixe à Bruxelles après 1459) éclipse la cour de France par son faste, l'éclat de ses fêtes, son activité littéraire et artistique.

Les États bourguignons se composent cependant de deux blocs distincts : le groupe flamand et le groupe bourguignon. Essayer de réunir ces deux blocs — ce qui revenait à encercler la France au Nord et à l'Est — se faire reconnaître le titre de roi, telle fut l'ambition de Philippe le Bon, celui que ses contemporains appelèrent le « grand prince d'Occident », mais plus encore celle de son fils, Charles le Téméraire. Une grande partie du règne de Louis XI (1461-1483) est ainsi occupée par des luttes contre les princes (ligue du Bien public en 1465), mais surtout par la guerre de dix ans qu'il mena contre Charles le Téméraire (1467-1477). À la mort de Charles, Louis XI ne put annexer au royaume la Flandre, qui demeura fidèle à la fille du duc, Marie de Flandre, mais il resta maître de la Bourgogne et de la Picardie, démembrant ainsi la puissance bourguignonne.

Il n'y a pas de coupure nette entre le Moyen Âge et la

Renaissance. Cependant, à partir du milieu du XVe siècle se multiplient les signes d'une mutation profonde des données politiques et économiques, des structures intellectuelles et mentales, de la vie littéraire dans l'Europe occidentale. On peut ainsi citer, sans prétendre à l'exhaustivité :

— l'invention de l'imprimerie vers 1450 (le premier atelier parisien s'établit en 1470) qui met fin, lentement d'ailleurs, à l'ère du livre manuscrit et modifie sensiblement le rapport de l'écrivain et du public à l'écrit ;

— la prise de Constantinople par les Turcs en 1453 qui marque la fin de l'empire byzantin et fait de la mer Égée et de la mer Noire des mers turques ;

— le début des guerres d'Italie (1494) ;

— la série des grandes expéditions maritimes (Christophe Colomb découvre l'Amérique en 1492) qui modifient la vision de l'univers, accentuent la prépondérance des régions septentrionales sur les pays méditerranéens, ouvrent et orientent vers l'Ouest un monde longtemps tourné vers l'Est.

BIBLIOGRAPHIE

Études d'ensemble

F. Autrand, A. Vauchez, M. Vincent, *le Moyen Âge,* nouv. coll. d'Histoire, Bordas, Paris, Montréal, 1971.

M. Balard, J.-Ph. Genêt, et M. Rouche, *Des Barbares à la Renaissance,* 5e éd., Hachette, 1985.

G. Duby et R. Mandrou, *Histoire de la civilisation française, Moyen Âge-XVIe siècle,* t. 1, A. Colin, 1968.

L. Génicot, *les Lignes de faîte du Moyen Âge,* 9e éd. rev., 1983.

B. Guenée, *Histoire et Culture historique dans l'Occident médiéval,* Aubier, 1980.

Le monde féodal

M. Bloch, *la Société féodale,* coll. l'Évolution de l'humanité, 1re éd., 1939.

G. Duby, *le Dimanche de Bouvines,* Gallimard, 1973 ;
Hommes et Structures du Moyen Âge, Mouton, 1973.

Les Croisades

P. Alphandéry et A. Dupront, *la Chrétienté et l'idée de croisade,* 2 vol., Paris, 1954-1959.

Les XIVe et XVe siècles

F. Autrand, *Charles VI,* Fayard, 1986.

Ph. Contamine, *la Vie quotidienne pendant la guerre de Cent Ans. France et Angleterre (XIVe siècle),* Paris, 1976.

J. Favier, *Philippe le Bel,* Fayard, 1978 ;
la Guerre de Cent Ans, ibid., 1980.

J. Huizinga, *l'Automne du Moyen Âge,* Payot, nouv. éd., 1980 (concerne plus particulièrement les États et la cour de Bourgogne).

P.S. Lewis, *la France à la fin du Moyen Âge. La société politique,* Hachette, 1977.

L'UNIVERS INTELLECTUEL

LE MONDE SENSIBLE

Images du monde

Les écrits « scientifiques » en langue française qui, à partir du XIIe siècle (Bestiaires et Lapidaires) puis au XIIIe siècle (les Encyclopédies), décrivent l'univers sensible, reproduisent leurs modèles latins ou médiolatins bien plus qu'ils ne se fondent sur l'observation directe.

Dans les Bestiaires, la description des « natures » (mœurs) des animaux réels ou imaginaires (phénix, licorne) est menée en fonction des interprétations religieuses, morales (érotiques dans le *Bestiaire d'Amour,* de Richard de Fournival), qu'elle peut supporter. Les Bestiaires portent ainsi la marque d'une vision du monde mise en place par les Pères de l'Église et selon laquelle la nature, le livre écrit par Dieu, peut/doit faire l'objet d'une lecture littérale *et* symbolique. Cette vision tend à s'estomper à partir du XIIIe siècle avec la redécouverte et la diffusion des œuvres de philosophie naturelle d'Aristote. Néanmoins le système de « concordances » qu'elle établit entre le monde des « semblances » (des apparences sensibles) et leurs « senefiances » (leurs sens possibles) reste l'une des constantes de l'écriture poétique voire romanesque. Elle sous-tend aussi le développement de l'héraldique (historique ou imaginaire), puis des devises, des emblèmes si répandus à la fin du Moyen Âge.

L'observation directe s'impose cependant peu à peu dans d'autres cantons de la littérature didactique et scientifique, par exemple les traités de fauconnerie et de chasse. Les *Livres du roy Modus et de la royne Ratio* d'Henri de Ferrières (vers 1374) allient encore, comme les Bestiaires, description et « moralisation », mais le *Livre de Chasse* (1387) de Gaston Phébus, comte de Foix, décrit avec précision, utilisant le relais de l'enluminure, les caractéristiques animales.

Les Encyclopédies en langue française (*Image du Monde* de Gossuin de Metz, *Livre du Trésor* de Brunetto Latini, etc.) placent comme leurs modèles latins la terre au centre du monde, mais leurs auteurs savent qu'elle est ronde et Gossuin utilise pour la décrire la comparaison avec la pomme et ses quartiers. La terre est cependant représentée dans la cartographie comme un disque entouré d'eau (*Oceanus,* l'Océan) et divisé en trois parties inégales (cartes dites en T) : l'Asie qui couvre la moitié supérieure, l'Europe et l'Afrique, séparées par la Méditerranée. Cet univers s'ordonne autour de Jérusalem, centre du monde. Le paradis terrestre est souvent figuré en haut (à l'est). Les Encyclopédies mais aussi des romans comme le *Roman d'Alexandre* décrivent longuement les prodiges et merveilles de l'Asie et de l'Inde : Amazones, hommes-chiens, hommes-poissons, filles-fleurs, monstres divers. Au tout début du XIIe siècle, un récit hagiographique comme le *Voyage de saint Brendan* (quête du paradis) multiplie les rencontres avec des êtres, des animaux, des espaces extraordinaires. À l'extrême fin du XIIIe siècle, le récit de Marco Polo dont les titres — le *Devisement* (description) *du monde,* le *Livre des Voyages,* le *Livre des merveilles* — sont déjà significatifs, allie à des descriptions très exactes des mœurs des Mongols, de la cour du Khan à Pékin, etc., la relation des légendes de l'Arbre Sec, du Prêtre Jean, ou l'évocation fabuleuse de l'Inde, de Ceylan, de Zanzibar... À partir du XIVe siècle cependant, et même si les *Voyages d'outre-mer* de Jean de Mandeville font encore la part belle au merveilleux, les progrès de la cartographie, surtout marine (les portulans), améliorent la connaissance du monde et préparent la voie aux grandes expéditions maritimes du XVe siècle.

Autres mondes

Le Moyen Âge fonde sa représentation de l'Autre Monde chrétien sur l'opposition haut/bas, ciel/enfer, bien/mal, etc. Cette bipolarisation se complique à partir du XIIe siècle, comme l'a montré Jacques Le Goff, avec l'invention d'un troisième lieu, le purgatoire, lieu de transition où les vivants peuvent encore influencer par leurs prières le sort des âmes des morts.

Cette organisation se complique encore du fait de la croyance en l'existence, quelque part à l'est d'Éden, du paradis terrestre. Un avatar littéraire très répandu en est sans doute la description du verger clos, bien planté, arrosé d'eau, éternellement verdoyant et accueillant au chant des oiseaux, aux plaisirs de l'amour, que représentent aussi bien textes lyriques que narratifs.

Le paradis et l'enfer, espaces scéniques très importants dans le théâtre religieux, ne sont guère représentés dans les textes narratifs. On peut cependant citer les évocations de l'enfer que donnent les différentes versions de l'*Évangile de Nicodème* (évangile apocryphe racontant la descente du Christ aux enfers entre la Passion et la Résurrection) ou les descriptions allégoriques des nombreuses « Voies d'enfer et/ou de paradis » du XIIIe siècle (*Songe d'enfer* de Raoul de Houdenc, *Voie de paradis* de Rutebeuf) ou du *Pèlerinage de la vie humaine* de Guillaume de Diguleville au XIVe siècle. Une évocation détaillée du purgatoire, des souffrances qu'on y endure, apparaît dans l'*Espurgatoire saint Patrice* de Marie de France tandis qu'au milieu du XVe siècle Antoine de La Sale, dans la *Salade,* entraîne son lecteur dans le *Paradis de la reine Sibylle,* espace où la rêverie érotique s'allie à la féerie et à la « merveille ».

C'est cependant les conceptions celtes d'un autre monde « horizontal », que seule l'eau, sous ses formes multiples, sépare du monde des vivants qui peuvent selon certaines conditions passer de l'un à l'autre, qui informent la représentation de l'espace propre au roman et au lai bretons.

Figures de l'autre

Un fait dominant de la France médiévale est l'omniprésence du christianisme, seule religion reconnue et pratiquée dans le royaume à l'exception d'une minorité de juifs. Cependant les Croisades, la découverte, à l'Est, d'autres civilisations, l'apparition périodique des hérésies, l'existence de communautés juives dans les grands centres urbains, sont autant de « figures » de l'altérité sur lesquelles les textes littéraires apportent aussi leurs témoignages.

Condamnés comme déicides, accusés de toutes les transgressions, haïs pour leurs fonctions de banquiers et les richesses qu'on leur suppose, les juifs, dont la figure emblématique est Judas, apparaissent surtout dans les Mystères et les Passions. L'*Évangile de Nicodème* oppose cependant aux juifs coupables cet autre juif secrètement converti, Joseph d'Arimathie, qui donne son tombeau au Christ et devient un personnage clé des romans du Graal. Au XIIIe siècle, certains Miracles de Notre Dame (*Miracles* de Gautier de Coincy par exemple) ancrent la figure du juif dans l'espace-temps contemporain tout en lui conservant, même s'il se convertit parfois, ses aspects maléfiques et sa liaison avec la magie et le diable.

Tout aussi figée par la tradition et dans la condamnation est l'image du Sarrasin dont la *Chanson de Roland* donne, dès la fin du XIe siècle, une représentation que se transmettront sans variation bien notable les chansons de geste ultérieures. Le Sarrasin, cependant, n'est pas une figure absolument négative : il faut donner aux chevaliers chrétiens des adversaires dignes de lui. Mais la description qui est faite, par exemple, des « idoles » des païens — la trilogie Mahomet, Tervagan, Apollin — témoigne d'une méconnaissance totale de l'Islam. Alors même que Pierre le Vénérable, abbé de Cluny, fait traduire le Coran vers 1143 (mais en secret et pour lutter contre les Infidèles), un texte du XIIIe siècle comme le *Roman de Mahomet* (1258) d'Alexandre du Pont, qui reprend un texte latin du XIIe siècle, accumule erreurs, absurdités et calomnies sur la vie du Prophète. En revanche le *Roman de Saladin* au XVe siècle (voir p. 179), fait du héros de l'Islam un modèle de chevalerie et de courtoisie.

Une image plus juste, plus nuancée, des réalités religieuses et politiques de l'islam se dessine cependant dans les écrits des clercs qui ont vécu dans les royaumes francs de Terre sainte. La relation que fait Joinville dans la *Vie de saint Louis* de la croisade de 1249 montre enfin une certaine curiosité plus ou moins compréhensive (la description des mœurs des Bédouins par exemple) et une approche un peu plus objective de l'Islam.

C'est finalement de l'Extrême-Orient et de l'Inde que se diffuse, à partir de textes comme le *Roman d'Alexandre* mais aussi de relations de voyages comme le livre de Marco Polo, une image positive voire modélisante de l'autre. Autre non chrétien mais doté de sagesse, proche de la sainteté comme les Brahmanes que décrivent aussi bien le *Roman d'Alexandre* que Marco Polo, ou comme les Mongols dont le célèbre Vénitien met en évidence les capacités d'organisation sociale et politique, l'exceptionnelle prouesse, la tolérance religieuse, tout en dégageant, sans jamais la condamner, leur différence.

À ces figures de l'autre, mal connues mais réelles, il faut sans doute ajouter les figures *a priori* disparates des fées, des géants, des nains, des Amazones, des enchanteurs, des magiciens et des magiciennes, qui se situent aux frontières du réel et du fantasme, mais dont le dénominateur commun est d'alimenter les rêves de jouissance, de domination de l'autre/de la matière, voire de défoulement et de transgression de l'homme médiéval.

STRUCTURES MENTALES

Il n'est pas possible de donner ici une vue d'ensemble, même sommaire, sur la (les) mentalité(s) médiévale(s). On ne fera donc qu'évoquer quelques structures particulièrement pertinentes pour la lecture du texte littéraire. Mais il importe de rappeler tout d'abord que les structures mentales que l'on peut repérer dépendent très largement d'une religion, le christianisme, fondée sur la parole divine telle qu'elle s'énonce dans la Bible (Ancien et Nouveau Testaments), ainsi que dans les écrits des Apôtres puis des Pères de l'Église, et qui est l'ultime sinon la seule source d'explication à laquelle peut/doit s'adresser l'homme. Dans l'Occident médiéval, les attitudes religieuses, morales, sociales, le questionnement sur le monde, la société, les rapports des hommes entre eux, leur relation à la sexualité et à l'amour sont d'abord influencés par le christianisme et gérés en fonction des certitudes qu'il impose. La production artistique sous toutes ses formes — musique, peinture, sculpture, architecture — est elle aussi liée en priorité aux préoccupations religieuses et à la célébration du culte divin. Il faut enfin souligner l'importance qu'a exercée sur les écrivains le livre par excellence, la Bible, qui fut pour le Moyen Âge et au-delà *le Grand Code de l'art* (William Blake), comme le rappelle l'essai récent de N. Frye.

Concordances

Penser le monde, le décrire et l'écrire selon le principe de l'analogie, c'est-à-dire des correspondances perçues entre ses différents constituants mais aussi entre l'univers sensible et le monde des idées, est une constante de la mentalité et de la littérature médiévales. La plus connue de ces « concordances » est sans doute celle qui lie l'homme, microcosme, à l'univers ou macrocosme. Mais c'est également ce principe qui sous-tend le symbolisme médiéval : le réseau des fils qui unissent un signifiant quelconque, être, animal, objet, couleur, nombre, etc. à l'ensemble, ouvert, de ses signifiés.

L'exégèse biblique telle que l'ont élaborée les Pères de l'Église est le fondement et le modèle souverain du principe de l'analogie. Elle suppose en effet que l'Ancien Testament est la préfiguration, imparfaite, du Nouveau Testament, qu'il existe donc des concordances, des rapprochements « typologiques » entre les deux livres. Adam est ainsi préfiguration (ou type) du Christ, Éva de Ave (la Vierge), le sacrifice d'Isaac préfigure celui du Christ, etc. Au réseau d'analogies que projettent en diachronie les concordances se superpose un autre réseau (un autre mode de lecture) issu de la doctrine des différents sens de l'Écriture. À la suite de saint Paul et de saint Augustin, l'exégèse distingue en effet dans le texte un sens *littéral* ou *historique* (ce que dit le récit de l'histoire du peuple juif) et un sens *figuré* ou *mystique* (c'est-à-dire caché, donc à dévoiler). Le sens figuré est lui-même monnayé en sens *moral* (la leçon à tirer), sens *allégorique* (ce qu'il faut croire) et sens *anagogique* (concernant les fins dernières de l'homme).

Mode et modèle de lecture et de commentaire du texte sacré, l'exégèse biblique a joué un rôle déterminant dans l'approche médiévale d'autres textes. Ont été ainsi « moralisées », c'est-à-dire pourvues d'une glose qui y décèle un enseignement moral voire mystique, les *Métamorphoses* d'Ovide. Cette méthode a également influencé la pratique d'une écriture profane qui, sans exclure le sens littéral, prétend aussi implicitement ou explicitement (la littérature allégorique) enclore un sens figuré.

Informé par une religion de l'Incarnation (« Le Verbe s'est fait chair et il a vécu parmi nous », *Jean* 1,14), le symbolisme médiéval ne rejette pas l'univers sensible. Il prend en compte les deux bouts de la chaîne, le référent et les sens qu'il peut supporter, l'équilibre entre sens littéral et sens figuré variant suivant les époques mais aussi les écrivains.

D'autre part, la relation ainsi établie entre signifiant et signifié a comme corollaire l'importance accordée au nom propre, qui dit l'essence de celui qu'il nomme (« Tu es Pierre et sur cette pierre, je bâtirai mon église », mais aussi : le *Graal,* c'est ce qui *agrée*) et à l'étymologie. Révélant les parentés entre les mots, permettant de ramener une « famille » de mots à sa racine, à son origine, l'étymologie atteint en effet — telle est la démarche d'Isidore de Séville dans ses *Etymologiae* (*ca* 600) — la nature profonde des êtres et des choses signifiés par les mots.

Ordres et *estats*

Telle qu'elle se pense idéalement dans le discours des clercs à partir de l'an mil, la société médiévale se répartit en trois ordres institués par Dieu, donc immuables : les *orantes* (ceux dont la fonction est de prier), les *militantes* (ceux dont la fonction est de se battre et d'assurer la paix) et les *laborantes* (ceux qui travaillent et doivent subvenir aux besoins des deux autres ordres). Au XIIe siècle, les *orantes* sont assimilables au groupe des clercs (ceux qui dépendent juridiquement des institutions ecclésiastiques), les *militantes* aux chevaliers et les *laborantes* aux vilains (c'est-à-dire à la masse de la population). Le schéma trifonctionnel perdure tout au long du Moyen Âge et au-delà : Alain Chartier, dans le *Quadrilogue invectif* (1422), fait comparaître devant la France ravagée par la guerre le chevalier, le clergé et le peuple. Ce schéma masque cependant un autre clivage, celui qui sépare et oppose le monde des clercs, longtemps seuls détenteurs du savoir, à celui des laïcs (des fidèles que les clercs doivent enseigner). Enfin, il ne rend pas compte des inégalités de rang, de fortune, etc., qui existent au sein des clercs comme des chevaliers ; il ignore d'autre part l'essor urbain du XIIe siècle et l'importance prise par la bourgeoisie marchande qu'il est bien difficile de classer avec les « laboureurs ».

Une image plus diversifiée mais tout aussi hiérarchisée de la société apparaît dans un ensemble de textes à vocation morale et satirique, les revues des *estats* du monde. Le plus ancien témoin en langue française est le *Livre des manières* (*ca.* 1174-1178) d'Étienne, archevêque de Fougères, qui oppose les dirigeants (dans l'ordre : les rois, le clergé, les chevaliers) aux dirigés (les paysans, les bourgeois, les femmes), rappelle prérogatives et obligations de chaque *estat* et en stigmatise les défauts et les manquements. La revue critique des *estats* du monde devient, à partir du XIIIe siècle, un motif récurrent de la littérature morale. Mais la grille proposée reste encore incomplète : comme le constate Christine de Pizan au terme de sa propre revue (*Livre de Mutacion de Fortune,* t. II, p. 80), il n'y a pas réellement d'*estat* féminin (ailleurs, seules des tirades misogynes tiennent lieu de définition) et il faut attendre Georges Chastellain et le XVe siècle pour que l'écrivain y prenne place, que son « statut » à part soit reconnu.

À l'image stable du corps social que proposent les revues des *estats* s'oppose le thème abondamment représenté de la Roue de Fortune à travers lequel le Moyen Âge exprime sa peur et sa résignation devant l'instabilité non maîtrisable des êtres et des choses de ce monde. Croissante ou décroissante comme la lune (la rime *Fortune/lune* et l'image sont fréquentes), Fortune et sa roue peuvent ainsi signifier, comme dans la *Mort le roi Artu,* la fragilité de toute puissance terrienne, représenter concrètement (elle tourne sur la scène du *Jeu de la Feuillée*) l'ascension sociale d'une certaine bourgeoise arrageoise, ou devenir dans cette Histoire universelle que veut être le *Livre de Mutacion de Fortune* de Christine de Pizan le principe qui régit, sous l'égide de Dieu, le devenir des hommes et de l'humanité.

Sagesse, prouesse, courtoisie

Un autre type de clivage, fondé sur des valeurs plutôt que sur des fonctions, se dessine dans le texte littéraire à partir du XIIe siècle. La chanson de geste, quel que soit le public auquel elle s'adresse, ne met en scène que le groupe des guerriers dont la valeur suprême est la prouesse. Délibérément élitiste, le roman exclut du texte et du public les vilains et s'adresse à l'univers des courtois (de ceux qui vivent dans le milieu des cours).

Le nouvel idéal de vie en société, de raffinement dans les mœurs et dans les conduites — et notamment dans le comportement amoureux — que qualifie le terme de courtoisie est sans aucun doute lié à une classe, la noblesse, et plus précisément au groupe des chevaliers. Il est manifeste qu'il unit cependant dans la volonté concertée de s'opposer aux vilains (aux rustres, aux non policés) chevaliers et dames, mais aussi ceux des clercs qui vivent dans l'orbite des cours et écrivent pour elles. Lier le clerc et le chevalier par le dénominateur commun de la courtoisie (ce que fait par exemple Chrétien de Troyes au début du *Chevalier au Lion*) n'abolit pas néanmoins un clivage essentiel : si le chevalier peut accorder sa courtoisie à sa pratique amoureuse et chevaleresque, le clerc courtois ne peut prétendre qu'à la prouesse de l'écriture. À partir du XIIe siècle, tout un ensemble de textes, des *Débats du Clerc et du Chevalier* (sur la compétence amoureuse de l'un et de l'autre) au *Voir Dit* de Guillaume de Machaut par exemple, montre comment le clerc, détenteur du savoir et de la parole amoureuse, tente peu à peu de s'approprier aussi une pratique érotique.

Un autre glissement est également repérable : si le clerc exalte en priorité la prouesse et la courtoisie de la noblesse, la sagesse peut également devenir l'apanage de quelques figures modélisantes qui réunissent alors ces trois valeurs essentielles. Figures de fiction comme Priam, dans le *Roman de Troie,* Arthur, Galaad dans le roman arthurien, mais aussi historiques comme celle du roi Charles V dont Christine de Pizan célèbre dans le *Livre des fais et bonnes meurs* la noblesse de cœur, la chevalerie et la sagesse.

Le droit, l'esprit, la lettre

Structure sociale fondée sur le respect de la foi, le cadre juridique de la féodalité informe également, à partir du XIIe siècle, une nouvelle représentation de l'amour : l'amant/le chevalier se met de son plein gré au service d'une dame (*midons,* mon seigneur, dans la lyrique occitane) présentée comme d'un rang social plus élevé et dont il espère obtenir les faveurs en échange de son service. Cette vision quasi juridique de l'amour n'est en fait que l'aspect le mieux connu d'une tendance très générale de la civilisation médiévale à se représenter dans l'exercice de la justice et à traiter sous la forme du procès, du débat, du jugement, des problèmes d'érotique, de politique, d'esthétique, etc.

Dès le premier roman arthurien, *Érec et Énide,* Arthur souligne déjà son respect du droit en se définissant comme celui qui respecte la coutume, les usages que lui ont légués ses ancêtres. Le procès de Ganelon dans la *Chanson de Roland,* de Daire le traître dans le *Roman de Thèbes,* de Lanval dans le *Lai* de Marie de France, etc., montrent combien dire le droit (le juste, le vrai) est l'une des préoccupations fondamentales de cette société. L'une des lignes de force de la chanson de *Raoul de Cambrai* est le problème que pose la mise en question, par le roi lui-même — le garant de la justice —, de l'hérédité du fief et la guerre atroce qui en résulte, tandis que le début du *Lancelot en prose* traite des droits et des devoirs du vassal mais aussi des devoirs d'Arthur face à ses hommes.

Le procès, par l'exposé contrasté qu'il propose de deux « vérités » entre lesquelles il faut prendre parti, constitue d'autre part une structure commode pour représenter et pénétrer des domaines rebelles à l'exposé univoque, et principalement le domaine amoureux. Débats du clerc et du chevalier sur l'amour, monologues du Tristan de Thomas et interventions du narrateur sur la nature de l'amour, « cas » fictifs soumis aux jugements de Marie de Champagne ou d'Aliénor par André le Chapelain dans son *De Amore, Jugements du Roi de Bohème* et du *Roi de Navarre* de Guillaume de Machaut mais aussi *Disputaison du croisé et du décroisé* de Rutebeuf, débat (politique) du clerc et du chevalier au XIVe siècle dans le *Songe du Vergier,* comparution devant l'amant du *Roman de la Rose* de Jean de Meun de grandes entités comme Raison, Fortune, Nature, etc., jeux-partis du XIIIe siècle ou débats parodiques comme le *Débat du Cheval et du Lévrier* de Froissart, on pourrait multiplier les exemples de cette tendance constante de la pensée médiévale à réfléchir ses interrogations et ses contradictions dans la fiction du procès, dans la « dispute » codifiée (désamorcée ?) qu'il met en scène.

Lié au débat, le cadre du procès est aussi et surtout l'espace idéal où jouer des ressources et des ruses du langage, préserver la lettre et le rituel tout en modifiant l'esprit du droit. On sait la mésaventure de l'avocat Pathelin pris au piège langagier qu'il a lui-même forgé. Mais on peut aussi citer le serment ambigu de l'Iseut de Béroul (et ses réécritures, dans le *Chevalier de la Charette,* la Branche I du *Roman de Renart,* la *Mort le roi Artu*), épisode dans lequel l'écrivain manifeste pleinement son pouvoir d'invention et de manipulation du langage.

L'homme et la mort

Si le Moyen Âge est dans l'ensemble une période de forte natalité, en dépit des restrictions imposées par l'Église à la sexualité conjugale (et, bien entendu, à la sexualité hors mariage) et en dépit de la masse imposante des hommes et des femmes voués au célibat, c'est aussi une période où, à une très forte mortalité infantile, s'ajoute un taux très élevé de mortalité des femmes jeunes, lors des accouchements. D'une manière générale, la durée moyenne de la vie n'est guère élevée tandis que le nombre des infirmes de toutes sortes est particulièrement important. D'autre part, aux maladies permanentes particulièrement redoutables comme la typhoïde, le paludisme, le tétanos, la tuberculose (les écrouelles en sont la forme ganglionnaire), il faut ajouter les épidémies très meurtrières de grippe, de variole, de dysenterie, etc. D'autres maladies tout aussi redoutables, comme l'ergotisme (le mal des Ardents ou Feu sacré) et ses intolérables souffrances et manifestations paroxystiques (perçues comme diaboliques), mais aussi la lèpre, maladie par excellence de la France médiévale aux XIIe et XIIIe siècles, ont un statut particulier et ont marqué l'imaginaire médiéval. Nombreux sont les saints et les reliques réputés guérir le mal des Ardents, un ordre religieux comme celui des Antonins étant tout particulièrement chargé d'en soigner les victimes. Les lépreux, eux, exclus de la société, sont contraints de signaler leur maladie par le port d'habits spéciaux, d'une cliquette, etc., ou sont plus souvent relégués dans des léproseries aux portes des villes. Dès le haut Moyen Âge enfin, leur maladie est assimilée à un châtiment divin, la lèpre du corps n'étant que le signe sensible de la lèpre de l'âme.

La réapparition de la peste, à partir du XIVe siècle, l'effroyable mortalité qu'elle entraîne, bouleversent non seulement l'équilibre démographique et économique de l'Europe mais aussi les mentalités et l'attitude de l'homme médiéval face à la mort.

Plus que la mort elle-même, conçue comme une transition nécessaire vers l'au-delà et qui, pour reprendre une formulation de G. Duby (*Guillaume le Maréchal,* p. 9), n'est pas alors « dérobade, sortie furtive, mais lente approche, réglée, gouvernée, prélude, transfert solennel d'un état dans un autre état, supérieur », l'obsession majeure de l'homme médiéval est d'abord la crainte du Jugement de Dieu, tel qu'il est représenté aux tympans des grandes églises romanes, de la « pesée des âmes » et de la damnation qu'elle peut entraîner. Crainte qui suscite aussi bien des conversions subites et décisives que des fins de vies édifiantes dont les textes littéraires portent eux aussi témoignage : Guillaume d'Orange, le héros épique, tout comme Lancelot, finissent leurs jours dans un couvent... À partir du XIIIe siècle, se développe, sous l'impulsion de la prédication franciscaine, l'image du « Livre de Vie » dans lequel s'inscrit le bilan de chaque existence ; bilan qui sera définitivement examiné et clôturé au jour du Jugement dernier. Mais c'est sans doute l'ébranlement causé par la guerre de Cent Ans et par les multiples épidémies de peste qui est à l'origine du motif iconographique et littéraire de la « danse macabre ». À partir du XVe siècle, apparaît le *transi,* c'est-à-dire le cadavre, la charogne, décrit ou représenté de façon réaliste dans l'iconographie funéraire et dans la littérature.

CADRES INTELLECTUELS ET CULTURELS

Lieux et modes de transmission du savoir au XIIe siècle

Depuis le haut Moyen Âge, la transmission des connaissances et de la culture savante est assurée par l'Église et par les hommes qui en dépendent institutionnellement : les clercs. Ce terme désigne alors tout homme qui a reçu la tonsure (qu'il ait ou non reçu les ordres sacrés) et qui devient de ce fait homme d'église. Mais, dans la mesure où l'enseignement et l'école sont placés sous l'autorité de l'Église, le terme de clerc est aussi synonyme de savant, de lettré et le statut de clerc est aussi bien celui des prêtres que des moines, que des maîtres et étudiants des écoles urbaines puis des universités. Quant au terme de *clergie,* il désigne l'ensemble des ecclésiastiques *et* l'ensemble des connaissances que doit posséder et transmettre un homme d'église/un lettré. La langue officielle de l'Église (et des chancelleries royales et princières) est le latin. C'est la seule langue étudiée dans les écoles et c'est en latin qu'est dispensé l'enseignement. La culture officielle du Moyen Âge est donc une culture tout à la fois latine et cléricale.

Durant tout le haut Moyen Âge, les monastères (et notamment les abbayes bénédictines) ont été les principaux foyers de culture et d'enseignement. Mais au XIIe siècle, la réforme religieuse incite les ordres monastiques, et surtout les Cisterciens, sous l'influence de saint Bernard, à privilégier la vie spirituelle et la méditation sur les mystères divins, à se mettre à « l'école du Christ » et à dédaigner le savoir mondain. L'enseignement et les écoles, toujours sous l'autorité de l'Église, se déplacent vers les villes. De 1125 à 1150, l'école-cathédrale de Chartres est le grand centre intellectuel et scientifique du siècle. Mais elle est bientôt éclipsée par les centres parisiens : l'école épiscopale de Notre-Dame, les écoles canoniales de Saint-Victor et de Sainte-Geneviève, l'enseignement de dialectique mais aussi de théologie que dispense à plusieurs reprises Abélard (1079-1142), la « première grande figure d'intellectuel moderne... le premier *professeur* » (J. Le Goff, *les Intellectuels,* p. 40).

L'enseignement dispensé est traditionnellement réparti (la tradition remonte à Boèce) en sept disciplines, les sept « arts », qui constituent deux « cycles » : le *trivium*, cycle littéraire, consacré à l'étude de la grammaire, de la rhétorique et de la dialectique, et le *quadrivium*, cycle scientifique, regroupant l'arithmétique, la musique, la géométrie et l'astronomie. *Trivium* et *quadrivium* donnent le titre de maître ès arts et ouvrent l'accès aux disciplines supérieures, médecine, droit et enfin théologie. La méthode d'enseignement est fondée sur la *lectio* ou commentaire des textes des *auctores,* des auteurs sacrés ou profanes faisant autorité sur une matière donnée. La *lectio* est successivement élucidation de la lettre du texte puis de son sens ; elle vise enfin à dégager l'enseignement, la *sententia,* qu'il propose. L'exercice de la *lectio* est renouvelé au XIIe siècle sous l'impulsion d'Abélard et son enseignement de dialecticien. Avec Abélard, la dialectique, par la méthode et les procédures de raisonnement qu'elle met en œuvre, devient en effet la méthode scientifique fondamentale pour l'exégèse des textes sacrés et profanes ou l'élucidation des vérités du dogme chrétien. Dans son traité du *Sic et Non* (1122), Abélard tente ainsi de concilier par le raisonnement les vérités contradictoires qu'il relève dans la Bible et chez les Pères de l'Église. Le succès de cette méthode entraîne le développement, à partir de la *lectio,* de la *quaestio* qui consiste à isoler dans le texte un problème donné puis à en discuter les différents aspects et qui deviendra la technique essentielle de la méthode scolastique.

La lecture des auteurs profanes de l'Antiquité est, au XIIe siècle, une pratique bien établie. Mais la connaissance des auteurs latins est rarement directe et semble plutôt se faire par l'intermédiaire de recueils, de florilèges, de manuels ou de compilations latines d'époque tardive. Sont bien connues les œuvres de Macrobe (fin du IVe-début du Ve siècle), son traité de philosophie néoplatonicienne que sont les *Commentaires sur le Songe de Scipion* et ses *Saturnales* dont la deuxième partie est consacrée à l'interprétation des classiques, de Virgile essentiellement. Tout aussi importante pour la formation de la culture médiévale est l'ouvrage de Martianus Capella (Ve siècle), les *Noces de la Philologie et de Mercure,* dont les sept derniers livres sont consacrés à la description des sept « arts ». Il faut également citer Fulgence dont le commentaire allégorisé de l'*Énéide* a joué un rôle déterminant dans l'allégorisation d'autres œuvres de l'Antiquité classique.

Parmi les poètes païens, le plus lu et le plus admiré est Virgile. Son influence indéniable (le *Roman d'Énéas,* au XIIe siècle, suppose une connaissance approfondie de l'*Énéide* et des commentaires des mythographes), est cependant éclipsée à partir du XIIe siècle par celle d'Ovide. Les *Métamorphoses* font l'objet d'une lecture allégorique qui y décèle une vérité cachée sur le sens du monde et qui culmine, au XIVe siècle, avec l'*Ovide moralisé* ; mais elles sont aussi, avec les œuvres érotiques du poète latin *(Héroïdes, Art d'aimer, Remèdes à l'amour),* la source vive de la rhétorique amoureuse au XIIe siècle et au-delà. Sont également connus et utilisés la *Thébaïde* de Stace (dont s'inspire l'auteur du *Roman de Thèbes*), la *Pharsale* de Lucain, les *Satires* de Juvénal, la correspondance et les traités moraux de Sénèque, etc.

Cependant, le renouvellement des connaissances, surtout dans les domaines scientifique, technique et médical, est lié au développement, à partir du XIIe siècle, de traductions latines d'ouvrages grecs ou arabes. L'événement capital est la traduction progressive des œuvres d'Aristote. Boèce (480-524) avait déjà traduit une partie de la *Logique.* Mais les traductions, aux XIIe et XIIIe siècles, des autres traités de logique et des œuvres de philosophie naturelle, de métaphysique et de morale assorties de nombreux commentaires (et notamment du triple *Commentaire* du philosophe arabe Averroès [1126-1198]) apportent à l'Occident une masse énorme de connaissances. Elles proposent surtout à la pensée chrétienne un système complet et cohérent d'explication du monde fondé sur un savoir et une philosophie « naturels » et qui laisse peu de place aux explications d'ordre théologique.

Les universités au XIIIe siècle

Dès la fin du XIIe siècle, professeurs et élèves de centres urbains comme Paris, Bologne, Oxford s'organisèrent, sur le modèle des autres « métiers », en corporations. On appelle « université » cette corporation qui regroupe en une même communauté maîtres et enseignés. Les uns et les autres sont réputés clercs. Comme tels, ils échappent à la justice royale — le privilège de 1200 accordé par Philippe-Auguste aux membres de l'université parisienne à la suite d'incidents tragiques confirme ce statut. D'autre part l'université parisienne (et les universités en général) bénéficia également, notamment lors de ses conflits avec l'évêque de Paris, de l'appui de la Papauté qui avait vite compris quel précieux relais de transmission et de pouvoir d'intervention pouvait être ce corps solidement organisé. Les liens entre l'université et la Papauté se renforcent encore au XIIIe siècle (et avec l'agrément de Louis IX) avec l'accès des moines-mendiants aux chaires de théologie (voir p. 24).

Au développement des universités est lié, au XIIIe siècle, celui du livre-manuscrit. Autour des centres d'enseignement se multiplient en effet des ateliers de copistes (de relieurs, d'enlumineurs, les boutiques des parcheminiers, etc.) qui reproduisent en série et selon une technique nouvelle (les manuscrits *a pecia*) les textes des auteurs mis aux programmes mais aussi les cours prononcés par les maîtres. Le livre-manuscrit acquiert ainsi une dimension utilitaire que souligne encore le recours à une autre forme d'écriture, la minuscule gothique, plus rapide que la minuscule caroline, l'écriture dite « cursive » étant réservée pour la prise de notes sous la dictée. Dans ce nouveau type de manuscrits, l'accès au texte est enfin facilité par le développement de tables des matières, de rubriques, du foliotage, etc. C'est à la même époque et souvent dans les mêmes ateliers que se multiplient les copies de textes profanes et que se développent de nouveaux programmes d'enluminures, également sur des sujets profanes.

La méthode de pensée et d'enseignement qui caractérise tout particulièrement le XIIIe siècle (mais qui survivra, en s'appauvrissant et en se sclérosant, jusqu'au XVIe siècle) est la scolastique. Sommairement, la scolastique est un mode d'approche qui concerne essentiellement, au XIIIe siècle, le commentaire des textes religieux : la Bible, les écrits des Pères de l'Église, mais aussi sinon surtout les quatre *Livres des Sentences* de Pierre Lombard (qui systématisent les données qui se dégagent de l'Écriture et des écrits des Pères de l'Église), et le commentaire d'œuvres profanes parmi lesquelles les plus importantes sont les œuvres d'Aristote et les commentaires afférents. La méthode consiste alors à problématiser le texte étudié — on retrouve la technique de la *quaestio* — puis à produire des arguments *pro* et *contra* et à réfuter ces derniers, et ce afin d'aboutir à une conclusion personnelle qui engage la responsabilité de son auteur. La *Somme théologique* de saint Thomas d'Aquin, commencée en 1265, longue suite ordonnée et hiérarchisée de *quaestiones*, elles-mêmes subdivisées en articles, constitue l'apogée de la méthode scolastique. Quant au programme de la scolastique, il consiste en fait à user de principes et d'arguments fondés sur la raison pour mettre en évidence tout ce qu'il peut y avoir d'intelligible, d'accessible à cette même raison dans la foi chrétienne. La *Somme théologique* est ainsi un immense effort pour résoudre l'antinomie entre le savoir et la pensée antiques, tels que les présentent l'aristotélisme, et la révélation chrétienne.

Développement d'une culture laïque aux XIVe et XVe siècles

Les XIVe et XVe siècles sont marqués par le développement de la culture écrite, lié à la diffusion de deux techniques fondamentales, la lecture et l'écriture, et qu'amplifie encore, après 1450, l'essor du livre imprimé. Il est impossible de préciser quel fut le pourcentage des gens réellement touchés par cette diffusion, qui reste de toutes manières l'apanage de cercles restreints. Il est cependant remarquable qu'à côté des hommes d'Église, des clercs et des universitaires se constitue alors un milieu laïc dont les membres, hommes d'État, seigneurs, médecins, juristes, notaires, commerçants, etc., font des études pour se former à l'exercice du pouvoir ou de leur métier et sont également désireux de développer leurs connaissances et leur culture générale.

L'importance grandissante, à cette époque, des administrations ecclésiastiques et laïques, la multiplication des actes et documents de toutes sortes supposent d'autre part un personnel de plus en plus nombreux et de plus en plus qualifié. Beaucoup de clercs se consacrent désormais à l'étude du droit canon, et éventuellement du droit civil, et non de la théologie, tandis que se créent, à partir du XIVe siècle, de nouvelles universités où sont formés les futurs cadres administratifs. Ainsi de l'université d'Avignon fondée en 1303 par la Papauté.

Ce milieu nouveau, qui ne connaît souvent du latin que ce qui est nécessaire à la pratique de son métier et pour qui le latin « littéraire » est peu accessible, manifeste pour les écrivains latins classiques une curiosité grandissante que vient satisfaire l'essor de traductions de plus en plus fidèles aux textes originaux. C'est ainsi que Charles V fit traduire pour sa « librairie » (une bibliothèque qui comptait mille deux cents manuscrits à sa mort et qui a été le point de départ de la Bibliothèque royale puis nationale), un ensemble de textes dont le dénominateur commun est d'être des œuvres utiles, capables de fournir des enseignements d'ordre religieux, moral, politique, scientifique, militaire, etc. D'une liste fournie on retiendra surtout : la traduction « littérale » de la Bible et celle de la *Cité de Dieu* de saint Augustin par Raoul de Presles ; la traduction, par Nicolas Oresme, conseiller très écouté de Charles V, des *Éthiques, Politiques* et *Économiques* d'Aristote ; la traduction, par Simon de Hesdin, des anecdotes moralisantes de Valère-Maxime, texte qui a joué un rôle essentiel dans la vulgarisation de l'Antiquité classique et de ses modes de pensée ; la traduction, déjà commandée par Jean le Bon à Pierre Bersuire, l'ami de Pétrarque, des *Décades* I, III, IV de l'*Histoire romaine* de Tite-Live. On citera également la traduction faite à partir d'un original latin (datant de 1376) d'un texte politique, le *Songe du Vergier* (1378). Cette œuvre tente de préciser, dans le cadre d'un débat entre un clerc et un chevalier, les rapports entre la royauté et la Papauté (le Grand Schisme date de 1378) et prend le parti du pouvoir royal.

Le programme de traductions entrepris de manière concertée par Charles V, et en partie poursuivi par son frère, Jean de Berry, et son beau-frère Louis de Bourbon, ne marque pas à proprement parler les débuts de l'humanisme français : l'utilité publique, l'enseignement motivent d'abord cette entreprise de vulgarisation et non des préoccupations d'ordre philologique ou esthétique. Ce n'est qu'au début du XVe siècle, dans l'entourage de Charles VI, que se forme — la cour pontificale d'Avignon a été alors un important relais entre l'Italie et la France — un premier cercle d'humanistes français avec notamment Jean de Montreuil, secrétaire de Charles VI, grand admirateur de Virgile et de Térence, Gontier et Pierre Col. Ces trois personnages prirent fait et cause, lors de la querelle du *Roman de la Rose,* pour Jean de Meun contre les attaques de Christine de Pizan et de Jean Gerson, défendant la beauté formelle mais aussi la valeur morale et l'orthodoxie chrétienne de l'œuvre de Jean de Meun.

Le prestige de l'université parisienne que Charles V appelle « la fille aînée du roi » est encore très grand au XIVe siècle et au début du XVe. Les universitaires se veulent, sans toujours parvenir à se faire entendre, les conseillers du roi. Ils interviennent activement, lors du Grand Schisme, condamnent, par la bouche de Jean Gerson, l'assassinat de Louis d'Orléans et l'apologie du tyrannicide que fait alors Jean Petit, un homme à la solde de Jean sans Peur, etc. L'un des plus éminents universitaires est alors Gerson, chancelier de l'université en 1395 mais aussi curé, à Paris, dès 1409 et prédicateur très écouté. Très préoccupé par la formation du clergé, à l'intention de qui il compose son *Opus tripartitum,* Gerson est également soucieux de l'instruction des simples fidèles. C'est pour eux qu'il compose, en français, la *Montagne de Contemplation,* un traité de l'amour de Dieu, et la *Mendicité spirituelle,* proposant une doctrine religieuse d'abord fondée sur l'exaltation des valeurs morales et l'élan vers Dieu.

Avec la reprise de la guerre contre les Anglais puis la guerre entre Bourguignons et Armagnacs, l'Université entre cependant dans une période de déclin culturel et politique. La méthode scolastique s'essouffle et se sclérose. Les universitaires sont partagés entre Bourguignons et Armagnacs : certains suivent, à Bourges, le futur Charles VII puis créent l'université de Poitiers ; d'autres, au service des Anglais, instruisent le procès de Jeanne d'Arc malgré la prise de position de Gerson concluant au caractère divin de la mission de la Pucelle et, au cours du XVe siècle, Charles VII puis Louis XI, pleins de méfiance à l'égard de l'université de Paris, suppriment progressivement la plupart de ses privilèges. Dès 1470 cependant, autour de Guillaume Fichet, qui installe à la Sorbonne la première presse d'imprimerie, se développe un cercle humaniste qui annonce la Renaissance.

BIBLIOGRAPHIE

Textes et/ou traductions

Bestiaires, trad. G. Bianciotto, Stock Plus, 1981.

Voyage de saint Brendan, éd. et trad. Ian Short et B. Merrilees, 10/18, 1984.

Marco Polo, *le Devisement du Monde,* 2 vol., éd. Maspéro (La Découverte), 1982.

Antoine de la Sale, *le Paradis de la reine Sibylle,* trad. F. Mora, Stock/Moyen Âge, 1983.

Études d'ensemble

R. Delort, *la Vie au Moyen Âge,* Points Histoire, Le Seuil, 1982.

J. Le Goff, *la Civilisation de l'Occident médiéval,* Arthaud, Paris, 1972 ;
Pour un autre Moyen Âge, Gallimard, Paris, 1977 ;
L'Imaginaire médiéval, ibid., 1985.

J. Paul, *Histoire intellectuelle de l'Occident médiéval,* A. Colin, Paris, 1973.

La France médiévale, sous la direction de Jean Favier, Fayard, Paris, 1983.

Domaines particuliers (les ouvrages cités comportent des bibliographies détaillées)

La représentation du monde

À la découverte de la Terre, catalogue de l'exposition *Dix Siècles de cartographie,* Bibliothèque nationale, Paris, 1979.

L'autre monde

F. Bar, *les Routes de l'Autre Monde. Descente aux enfers et voyages dans l'au-delà,* PUF, Paris, 1946.

J. Le Goff, *la Naissance du purgatoire,* Gallimard, Paris, 1981.

L. Harf-Lancner, *les Fées au Moyen Âge, Morgane et Mélusine,* Champion, Paris, 1984.

D. Poirion, *le Merveilleux dans la littérature française du Moyen Âge,* PUF, Paris, Que sais-je ?, 1982.

Les rapports entre Islam et Chrétienté

M. Rodinson, *la Fascination de l'Islam,* Maspéro, Paris, 1982.

L'exégèse biblique

H. de Lubac, *Exégèse médiévale. Les quatre sens de l'Écriture,* 4 vol., Aubier-Montaigne, 1959-1964.

« Mise au point médiévale », Dante, *Épître XIII (à Cangrande)* dans *Œuvres complètes,* La Pléiade, p. 790 et *sq.*

Le schéma trifonctionnel

G. Duby, *les Trois Ordres ou l'imaginaire du féodalisme,* Gallimard, Paris, 1978.

La courtoisie

R. Bezzola, *les Origines et la formation de la littérature courtoise en Occident* (500-1200) ; Troisième partie : *la Société courtoise...* 2 vol., Champion, 1960-1963.

J. Frappier, *Vues sur les conceptions courtoises dans les littératures d'oc et d'öil au XIIe siècle* dans *Amour courtois et Table Ronde,* Genève, Droz, 1973, p. 1-31.

Le savoir médical, la mort et sa représentation

D. Jacquart et C. Thomasset, *Sexualité et Savoir médical au Moyen Âge*, P.U.F., Paris, 1985.

J. Huizinga, *l'Automne du Moyen Âge,* ouvr. cit.

Le sentiment de la mort au Moyen Âge, (C. Sutro éditeur) Montréal, éd. de l'Aurore, 1979.

Le cadre intellectuel et culturel

Outre l'ouvrage de J. Paul cité ci-dessus, voir :

J. Le Goff, *les Intellectuels au Moyen Âge,* Le Seuil, Paris, 1985 (1957).

La connaissance et l'influence de Virgile au Moyen Âge

Lectures médiévales de Virgile, coll. de l'École de Rome, Rome, 1985.

La réflexion théologique aux XIIe et XIIIe siècles.

M.D. Chenu, *la Théologie au XIIe siècle,* Paris, 1957.
la Théologie comme science au XIIIe siècle, rééd. Paris, 1957.
Saint Thomas d'Aquin et la théologie, Paris, 1960.

La politique culturelle et artistique de Charles V, le développement des traductions

La Librairie de Charles V, Bibliothèque nationale, catalogue de l'exposition, Paris, 1968.

F. Avril, *l'Enluminure à la cour de France au XIVe siècle,* Paris, 1978.

J. Monfrin, *Humanisme et Traductions au Moyen Âge. Journal des Savants,* 1963, p. 161-190.

LES ŒUVRES LITTÉRAIRES

SITUATIONS

Le terme de « littérature » n'est pas absolument pertinent pour qualifier et regrouper les textes ici présentés. Le mot déjà est rare dans le français médiéval qui utilise surtout *letre(s)*, du latin *littera(s)*, et *letreüre*. D'autre part « littérature » dans son acception moderne renvoie à un corpus élaboré, consacré par la tradition, de texte portant la marque de préoccupations d'ordre esthétique et qui ont (acquis) valeur de modèles. Les termes de *letre* ou *letreüre* qualifient eux un apprentissage et une activité, ceux de lettré, du clerc, qui consistent à s'approprier un savoir puisé aux textes faisant autorité, les *auctores* : les textes sacrés et les écrits des Pères de l'Église auxquels s'ajoutent discrètement quelques auteurs latins profanes, Virgile, Ovide, Sénèque, etc. Ces derniers sont d'abord utilisés à des fins didactiques, même si les marques sont nombreuses et anciennes de l'admiration et du plaisir éprouvés par les clercs face à leur beauté proprement littéraire. Seul le *Roman de la Rose* de Jean de Meun semble avoir joué à partir du XIVe siècle, comme l'a suggéré P.-Y. Badel (le *Roman de la Rose au XIVe siècle*, ouvr. cit., p. 495-496), ce rôle de texte modélisant, autrement dévolu aux *auctores*.

Pris au sens moderne, le terme de « littérature » peut à la rigueur qualifier, dès le XIIe siècle, la poésie lyrique et le roman, c'est-à-dire des formes littéraires qui s'interrogent sur leurs conditions de production et d'écriture et prétendent à la beauté formelle. Ces mêmes textes insistent cependant aussi sur l'intention didactique qui les anime, les valeurs morales qu'ils exaltent et il est bien difficile de savoir s'il s'agit là d'une simple précaution oratoire, destinée à rattacher ces œuvres aux autres cantons de l'écrit ou d'une exigence didactique fondamentale qui perdure au reste bien au-delà du Moyen Âge.

Le concept de littérature est par définition associé à l'écrit, au niveau de la production du texte comme de sa réception. Or, comme l'a rappelé P. Zumthor (« Y a-t-il une littérature médiévale ? », dans *Poétique,* n° 66, 1986), « tout texte poétique ou fictionnel, des IXe et Xe siècles jusqu'au XIVe siècle au moins, a transité par la voix... ». Même composé par écrit, le texte est destiné « à s'épanouir dans un acte vocal » et il est écrit en fonction de ce mode de « performance » même s'il existe de ce point de vue des différences très sensibles entre la chanson de geste, la poésie lyrique, le roman en vers, le roman en prose. Il convient donc de garder présente à l'esprit cette dimension « vocale » de l'écrit littéraire, trop souvent occultée par la force des choses mais aussi par la pratique des éditeurs. La poésie lyrique par exemple a été longtemps éditée sans que l'on se souciât d'éditer aussi le texte musical ou de s'interroger sur le rapport texte/chant. Il faut également se souvenir que dans le monde médiéval ceux qui écrivent ne sont qu'une infime minorité, n'atteignent qu'une élite, que les « jongleurs », récitants, ménestrels, gens du verbe forment l'immense majorité de ceux par qui la poésie s'insère dans l'existence sociale... » et que « la voix est le seul *mass medium* alors existant » (P. Zumthor, *ibid.,* p. 139).

L'ESPACE LINGUISTIQUE

Français parlé/français littéraire

En 836, au concile de Tours, les évêques recommandèrent aux clercs de prêcher non plus en latin mais en « roman » afin de se faire comprendre de leurs fidèles. Cette décision marque la reconnaissance du « roman » — terme qui désignera à partir du XIIe siècle le français — comme langue usuelle de la communication mais aussi comme langue possible de la prédication. À partir de la fin du IXe siècle, apparaissent des textes composés en roman (*Séquence de sainte Eulalie, Vie de saint Léger, Passion de Clermont,* etc.), destinés à l'édification d'un public globalement incapable de comprendre le latin mais qui accède, par l'écoute, à une nouvelle forme de culture et de plaisir esthétique.

Connaître ce que fut le « roman », langue quotidienne de la communication, langue parlée, est à peu près hors de notre atteinte. Les textes conservés sont en effet écrits dans une langue littéraire, mise au point par les clercs de la fin du IXe à la fin du XIe siècle et fondée sur un système de conventions concernant le choix et l'ordre des mots, l'utilisation des figures de style, la versification, etc. Le vers, quels que soient son mètre, son mode d'association (strophes, quatrains monorimes, laisses, couplets de rimes plates), est d'ailleurs la forme unique dans laquelle se coule d'abord le roman littéraire. La prose, comme forme littéraire, n'apparaît que dans la seconde moitié du XIIe siècle et de manière alors très limitée.

Dès le XIIe siècle, le décalage s'accentue encore entre la langue commune et la langue littéraire qui conserve des structures morpho-syntaxiques archaïques comme, par exemple, la déclinaison à deux cas et les types de constructions et d'ordre des mots qu'elle autorise. Ce n'est qu'à partir du XIVe siècle, et principalement par le biais de la prose littéraire, que ce décalage tend à se résorber et que la langue littéraire rejette un certain nombre de conventions désormais périmées.

Pluralisme linguistique/pluralisme littéraire

Le latin reste pendant tout le Moyen Âge la langue savante et internationale de la communication. Les lettrés *(litterati),* ceux qui connaissent la *lettre* (le latin) par opposition aux illettrés *(illitterati)* — la masse de ceux qui ne pratiquent que la langue vulgaire — sont donc de fait bilingues. À partir du IXe siècle cependant, et avec l'apparition des plus anciens textes en langue vulgaire, le roman prend place dans un champ littéraire et culturel jusqu'alors uniquement occupé par la langue et la littérature latines et médio-latines. Les plus anciens textes littéraires romans sont d'ailleurs conservés dans les manuscrits au milieu d'œuvres latines.

Cependant, le fait même que ces textes, qui témoignent d'une utilisation concertée des ressources offertes par cet outil tout neuf, aient été transcrits montre que le « roman » est déjà perçu comme une langue littéraire apte à rivaliser avec le latin. Rivalité qui s'affirme et s'affiche à la fin du XIe siècle avec l'émergence de la chanson de geste, au début du XIIe siècle avec la poésie lyrique en langue occitane, deux types de textes dotés de structures formelles élaborées et exaltant résolument des valeurs profanes.

L'apparition de ces textes qui donnent définitivement au français et à l'occitan le statut de langues littéraires et fondent une littérature profane en langue vernaculaire, si elle ne compromet pas d'abord la place et l'importance du latin médiéval, modifie cependant profondément le champ littéraire. Il n'est pas possible de donner ici une vue d'ensemble de la littérature médio-latine, de sa richesse, de sa diversité. Rappelons toutefois que le XIe et le XIIe siècles sont, pour la littérature et surtout la poésie médio-latines, une période de renouvellement et d'essor. C'est au XIIe siècle que sont composés certains des hymnes les plus célèbres de la liturgie, le *Regina Caeli* par exemple, et que se constituent les recueils poétiques des Goliards (notamment les *Carmina Burana*). La poésie didactique et scientifique est bien représentée avec Marbode par exemple (auteur d'un Lapidaire) ou Alain de Lille dont l'influence s'exercera sur Jean de Meun, tandis que Gautier de

Chatillon écrit une *Alexandreïs* à l'imitation des grands poètes épiques latins.

Pourtant, sauf peut-être dans le domaine de la théologie et de la philosophie (mais la vulgarisation en français s'amorce, pour la philosophie, dès le XIVe siècle), tous les domaines d'abord réservés au latin sont, à partir du XIIe siècle, pénétrés, investis par le français. D'autre part, à partir du XIIIe siècle, le latin littéraire est de moins en moins pratiqué et productif. Enfin, là où la comparaison est possible entre les textes latins et les textes en français (domaine lyrique et épique, écriture de l'histoire, par exemple), ce sont les différences au plan formel, au plan idéologique, dans le mode de réception et le public visé, qui l'emportent de beaucoup sur les ressemblances et qui rendent délicate voire impossible toute tentative pour établir une filiation nette entre un genre latin et son « correspondant » français.

L'influence du latin classique et médiéval, langue littéraire, culturelle, scientifique, a été sans aucun doute très insistante tout au long du Moyen Âge. Les écrivains en langue vulgaire ont fait en latin, par la lecture des textes, des ouvrages de rhétorique, des arts poétiques et de leurs préceptes, au reste assez difficiles à transposer et à utiliser en français, l'apprentissage de leur métier. Le bilinguisme latin/français est une réalité vécue par l'écrivain en français et qui a dû modeler aussi bien sa sensibilité, son imaginaire que sa recherche de la beauté formelle. Si toutefois le problème des origines de la chanson de geste, de la poésie lyrique occitane et dans une moindre mesure du roman a si longtemps fasciné les historiens de la littérature médiévale, c'est en grande partie parce qu'on ne peut relier ces œuvres à la tradition latine et que ces formes neuves semblent surgir d'un vide antérieur.

Latin et français ne se partagent pas, à eux seuls, l'espace linguistique et littéraire de la France médiévale. Du gallo-roman sont en effet issues deux langues vulgaires, la langue d'oïl (parlée dans la France du Nord) et la langue d'oc. L'une et l'autre connaissent au XIIe siècle d'importantes variantes dialectales. Comme la langue d'oïl (disons pour simplifier l'ancien français), la langue d'oc est langue de communication mais l'une de ses formes, le limousin *(leimozi),* a très tôt acquis le statut de langue littéraire. C'est en limousin que sont transcrits — et pour la plupart à Saint-Martial de Limoges — la quasi-totalité des premiers monuments littéraires occitans, comme le *Poème sur Boèce* (première moitié du XIe siècle). C'est en limousin que naît et s'épanouit, au début du XIIe siècle, la poésie des troubadours. Au trilinguisme « fonctionnel » latin/français/occitan se superpose ainsi un trilinguisme littéraire, même si la production de l'occitan littéraire tend à diminuer à partir du XIIIe siècle.

Les dialectes

La langue d'oïl est divisée en nombreux dialectes parmi lesquels on peut citer le picard, le champenois, le lorrain, le bourguignon, l'orléanais, le normand et l'anglo-normand (parlé en Angleterre après la conquête normande), le francien enfin ou français parlé en Île-de-France.

Dans les textes littéraires cependant, ces particularités s'estompent et le francien, dès le seconde moitié du XIIe siècle, tend à se constituer comme norme du français littéraire. Seuls quelques textes ont une coloration dialectale (picarde) nette comme *Aucassin et Nicolette,* le *Jeu de saint Nicolas* de Jean Bodel, le *Jeu de la Feuillée* d'Adam de la Halle. Un cas particulier est celui des œuvres copiées par des scribes anglo-normands (manuscrit d'Oxford du *Roland,* la plupart des fragments du *Tristan* de Thomas, etc.) qui, parce qu'ils avaient d'autres habitudes graphiques et, peut-être, phonétiques, ont introduit dans leurs transcriptions de nombreuses variantes textuelles.

L'ESPACE DU MANUSCRIT

La transmission des textes littéraires

Comme les œuvres de l'Antiquité, les textes médiévaux nous ont été transmis par des livres manuscrits, c'est-à-dire transcrits à la main par des copistes. Le support très généralement utilisé est le parchemin. C'est un matériau qui coûte cher et copier (plus exactement calligraphier et le cas échéant enluminer le texte) est une activité très contraignante et hautement spécialisée. Au XIIe siècle encore ce sont donc les textes en latin qui sont en priorité recopiés et nous n'avons conservé pour ce siècle que très peu de manuscrits ou de fragments de manuscrits contenant des œuvres en langue vulgaire.

En revanche, à partir du XIIIe siècle, avec l'essor des ateliers de copistes urbains, ces manuscrits deviennent nettement plus nombreux. On a cependant tendance à recopier des œuvres au goût du jour et à négliger des œuvres plus anciennes (démodées ?). D'autre part, bien des textes du XIIe siècle, mais aussi du XIIIe siècle et au-delà, ne nous sont conservés que par des copies uniques et/ou très mutilées : ainsi du manuscrit d'Oxford de la *Chanson de Roland,* du manuscrit unique de la *Chanson de Guillaume,* de *Raoul de Cambrai,* du *Guillaume de Dole* de Jean Renart, du fragment du *Tristan* de Béroul, des fragments du *Tristan* de Thomas, etc. On peut donc supposer — dans certains cas une allusion en fournit la preuve — que ce qui nous reste de la production littéraire du XIIe siècle, voire du XIIIe siècle, ne représente qu'une partie de la production réelle.

La situation se modifie à partir du XIVe siècle. Les milieux aristocratiques et la haute bourgoisie multiplient les commandes de manuscrits, au reste de toutes natures, et certains, exécutés pour des collectionneurs célèbres comme Jean de Berry, René d'Anjou, Jacques d'Armagnac, sont de véritables objets d'art. D'autre part, alors que c'est généralement le copiste qui procède en quelque sorte à « l'édition » du texte original qui échappe alors à son auteur, à partir du XIVe siècle, les écrivains eux-mêmes veillent de plus en plus souvent à la transcription de leurs œuvres et à leur organisation dans l'espace du manuscrit : ainsi de Guillaume de Machaut, véritable éditeur de ses œuvres, de Christine de Pizan, de Charles d'Orléans dont nous possédons un manuscrit autographe, ou d'un manuscrit du *Livre du Cuer d'Amour espris* sans doute en partie copié et peint par son auteur, le roi René d'Anjou.

Anthologies et recueils

Il est rare qu'un manuscrit littéraire donne la totalité de l'œuvre d'un auteur, plus rare encore qu'il ne contienne que l'œuvre d'un même auteur. La pratique des éditeurs modernes qui détache le texte de son contexte dans le manuscrit, de son environnement, ruine donc d'emblée cet effet de mise en perspective du texte qui fut son mode médiéval de réception. Les œuvres réunies dans un même recueil peuvent être très disparates. Assez souvent cependant, elles sont approximativement regroupées par genres : recueils des poésies de troubadours ou de trouvères (ou chansonniers), recueils de récits brefs (fabliaux, lais, contes pieux, etc.). On peut enfin déceler dans certains cas la volonté du copiste « éditeur » de disposer dans un ordre signifiant les textes réunis : ainsi des recueils cycliques de chansons de geste, des romans en prose du Graal, des romans antiques qui disposent (chrono)logiquement les récits concernant un même héros, un même lignage. Disposition qui ne tient pas compte du temps d'écriture de chaque texte mais crée *a posteriori* une sorte de *continuum* narratif, un nouveau parcours de lecture, un nouveau sens.

Un assez grand nombre de manuscrits littéraires sont enluminés. Au-delà de leur aspect décoratif, les enluminures et leurs rubriques (les courts textes explicatifs qui les soulignent) concourent efficacement à découper, donc à organiser le texte, à présenter sous la forme synthétique du tableau le contenu d'une partie (d'un chapitre), tandis que les enluminures souvent quadripartites des premières pages et leur rubrique, fixant par le texte/par l'image les passages clés de l'œuvre, en constituent une sorte de « bande-annonce ».

L'édition des textes littéraires

Le texte d'une œuvre médiévale présente toujours, d'une copie à l'autre, des leçons différentes, des variantes. L'acte même de la copie entraîne déjà un certain nombre de fautes matérielles. Mais, à une époque où le respect, voire la notion de texte original, n'est pas encore de règle, le copiste peut sciemment intervenir pour corriger un texte qu'il ne comprend pas ou qui est mauvais ou pour adapter son modèle à un nouvel état de langue, à un public différent, à d'autres formes de consommation du texte, etc. Les variantes sont particulièrement fréquentes dans le domaine de la chanson de geste : le style formulaire, la composition par motifs plus ou moins dilatables laissent le champ libre aux interventions du copiste. Les variantes sont moins importantes et d'un type différent dans le cas du roman ou de la poésie lyrique et témoignent bien souvent de la volonté des copistes d'élucider, de gloser un passage difficile. Quoi qu'il en soit, la « mouvance » du texte, mouvance variable selon les sortes de textes, est un trait caractéristique de la littérature médiévale.

Les éditions modernes de textes médiévaux ne donnent donc pas *le* texte original — impossible à atteindre — d'une œuvre donnée, mais, parmi ses différentes copies, celle qui a été retenue comme la meilleure, la plus proche de l'original. Les méthodes à suivre pour préciser le rapport des copies à l'original (le classement des manuscrits et l'établissement d'un « stemma », d'une sorte d'arbre généalogique des manuscrits conservés) puis pour corriger scientifiquement la copie retenue, ont donné lieu depuis le XIXe siècle à de très nombreux débats.

ESPACES DE L'ŒUVRE

Dans la majorité des cas, l'œuvre littéraire médiévale s'adresse à un public que le texte convoque et que représente exemplairement le personnage (ou le groupe) auquel elle est éventuellement dédiée. Elle affiche ainsi d'emblée l'exigence qui la sous-tend et celle du *je* qui la prend en charge : s'insérer dans l'espace social. Il y a à cette exigence des raisons évidentes. Écrire ou participer d'une manière quelconque à la production d'un texte est bien au Moyen Âge un métier, du moins est-il conçu comme tel par ceux qui l'exercent. Mais il ne rentre pas dans le cercle fermé des corporations existantes et des *estats* reconnus. Sauf exception, le troubadour, l'auteur de romans, le récitant de geste, le jongleur, etc., dépendent matériellement d'un public, d'une cour, d'un mécène.

Il semble pourtant que, à côté de ce lien contraignant, la volonté d'exprimer les aspirations explicites ou latentes d'un public, de répondre d'abord à son « attente » quitte à l'orienter et à l'informer autrement, soit l'une des caractéristiques majeures du texte littéraire médiéval.

L'univers des « courtois »

Adopter, à partir du XIIe siècle au moins, le français ou l'occitan comme langue littéraire suppose d'emblée, chez l'écrivain, la visée d'un nouveau public, le public laïc des cours, et la prise en compte des « valeurs » qu'il reconnaît ou qu'il se donne. Les premiers écrivains repérables comme tels, c'est-à-dire signant leurs œuvres et revendiquant un savoir et un savoir-faire, les troubadours, dès le début du XIIe siècle, les auteurs de romans, à partir de 1150, et les auteurs de chroniques en langue vernaculaire, sont ainsi étroitement liés au public aristocratique des grandes cours seigneuriales, au monde des « courtois ».

Un milieu littéraire et culturel particulièrement important au milieu du XIIe siècle est celui qui se constitue dans « l'espace Plantagenêt » (voir p. 20), autour d'Aliénor d'Aquitaine et d'Henri II Plantagenêt. Milieu où s'épanouit la lyrique des troubadours, où apparaît une première forme du récit romanesque, le roman à sujet antique, où se développe l'historiographie en langue vernaculaire, célébrant les origines ou l'histoire récente de la dynastie normande. Ce milieu a d'autre part joué un rôle important dans la mise en contact des écrivains avec le trésor des légendes et récits d'origine celte. Wace dédie en 1155 son *Brut,* chronique de l'histoire des rois britanniques et du plus célèbre d'entre eux, Arthur, à Aliénor d'Aquitaine. Thomas d'Angleterre compose vraisemblablement son *Tristan* pour la cour d'Henri II Plantagenêt, et c'est à ce roi que Marie de France dédie ses *Lais* inspirés de légendes bretonnes. L'espace Plantagenêt est ainsi le lieu où s'imagine et se façonne l'alliage d'une forme neuve, le roman en vers, avec une thématique reprise soit à l'Antiquité païenne soit au légendaire celte.

Dans le dernier quart du XIIe siècle, le centre de gravité de la littérature en langue française tend à se déplacer vers l'Est. Chrétien de Troyes, dont les liens avec la cour de Champagne et la comtesse Marie de Champagne (fille de Louis VII et d'Aliénor) paraissent bien établis, recueille d'abord l'héritage des récits à sujets antiques et des troubadours avant de situer Arthur et sa cour au centre de sa production romanesque. C'est à ce même milieu que se rattache la première génération des trouvères, héritiers des troubadours, tandis qu'à la cour de Thibaut et Alix de Blois, sœur de Marie de Champagne, Gautier d'Arras, le rival de Chrétien, inaugure avec le roman d'*Éracle* une nouvelle thématique et de nouvelles techniques romanesques.

La valeur essentielle du monde des cours est bien entendu la prouesse : la guerre ou ses succédanés (le tournoi) sont par définition la fonction de la noblesse et plus encore du groupe des chevaliers. Fonction et groupe social qu'exalte, dès la *Chanson de Roland,* la chanson de geste même si l'on peut supposer qu'elle s'adresse, en ce temps de croisades, à un public plus large et plus mélangé. Cependant, troubadours et trouvères définissent à l'intention de leur public un nouveau système de valeurs dont la courtoisie et le culte de l'amour/de la dame sont les pièces maîtresses, tandis que le roman arthurien, sous l'impulsion de Chrétien de Troyes, tente la fragile alliance de la prouesse et de l'amour humain dans le cadre de l'idéal courtois.

L'écrivain et la ville au XIIIe siècle

Une part très importante de la littérature du XIIIe siècle, la chanson de geste, la poésie lyrique, le roman arthurien en vers et en prose, continue d'exalter, avec cependant des variantes signifiantes, l'idéal chevaleresque et sentimental élaboré au XIIe siècle. L'essor et l'importance du milieu urbain, en ce même siècle, modifient toutefois très sensiblement l'espace littéraire et culturel. La ville offre en effet à l'écrivain un public plus nombreux, moins dispersé que celui des cours, lui aussi soucieux de s'instruire et de se donner, peut-être pour rivaliser avec les milieux aristocratiques, une vie littéraire et artistique. L'activité, vers 1200, de Jean Bodel, auteur de chansons de geste, de fabliaux, de *Congés* (poèmes dans lesquels, devenu lépreux, il fait ses adieux à sa ville, Arras), d'un jeu, le *Jeu de saint Nicolas,* aux frontières du théâtre religieux et profane, est ainsi liée à celle d'une confrérie de jongleurs et de bourgeois, la confrérie de la Sainte-Chandelle d'Arras, et aux fêtes qu'elle organise. Dans les villes du Nord et notamment à Arras, l'un des très grands centres littéraires du XIIIe siècle, se créent des sociétés littéraires, les *puys,* qui organisent des concours de poésie lyrique. Au cours du XIIIe siècle enfin, c'est dans la ville que se développe le théâtre profane qui rassemble le temps d'une fête/d'une représentation la communauté urbaine : vers 1276-1277, le *jeu de la Feuillée* d'Adam de la Halle met en scène et sur scène la société arrageoise et ses tensions.

D'une manière plus générale, la vision plus réaliste, plus pratique qui informe le monde des villes, ses préoccupations, son rapport surtout à l'argent, aux moyens d'en gagner mais aussi d'en moraliser la possession, l'usage et la circulation, peuvent être rapprochées de l'apparition de nouvelles formes littéraires comme le fabliau, du développement de la littérature satirique, et de ce qu'on a appelé un peu vite le « roman réaliste ». Les fabliaux représentent avec prédilection les rapports conflictuels des nantis avec le reste de la société. La littérature satirique, celle des *estats* du monde par exemple, qui se développe dans l'espace urbain et à l'instigation de ses membres, tente, elle, d'ordonner et de maintenir la communauté urbaine en rappelant à chacun ses devoirs face aux autres.

Toute une série de romans enfin qui, comme le fabliau, se situent dans l'espace-temps quotidien, font intervenir la ville et ses activités économiques. La fête chevaleresque qu'est le tournoi est vue aussi dans le *Guillaume de Dole* de Jean Renart du point de vue, intéressé et ironique, des bourgeois de la ville. *Jouffroi de Poitiers* conte les aventures d'un jeune homme en quête d'une riche héritière. *Galeran de Bretagne,* l'*Escoufle* font de la ville le seul lieu où l'héroïne peut survivre en vendant le fruit de son travail (ici des ouvrages brodés), acquérir son indépendance financière et, accessoirement, retrouver celui qu'elle aime...

Cette présence de la ville dans la littérature du XIIIe siècle s'affirme tout particulièrement dans l'œuvre de Rutebeuf. Témoin partial et engagé des problèmes de la communauté universitaire, chantre des valeurs et des conduites traditionnelles et hostile aux mutations religieuses, sociales, mentales qu'engendre l'influence croissante des moines mendiants, ses ennemis jurés, Rutebeuf est aussi le « pauvre jongleur », celui pour qui la ville, toujours fascinante, source de la survie matérielle et de l'inspiration poétique, reste l'espace de toutes les tentations et de toutes les corruptions.

La cour du prince (XIVe et XVe siècles)

L'influence de la ville sur certains cantons de la production littéraire et artistique est encore très sensible aux XIVe et XVe siècles. Le renouvellement du théâtre sacré avec les Passions et les grands Mystères, l'essor du théâtre profane (farces, moralités, sotties) sont étroitement liés au milieu urbain et aux différentes confréries : *Confréries de la Passion de Rouen* ou de *Paris, Confréries joyeuses* et *Basoches* qui commanditent les pièces et en assurent la représentation. Les *Entrées royales,* c'est-à-dire les fêtes ritualisées qui se déroulent, au moins depuis le règne de Jean le Bon, lors de la première entrée solennelle d'un roi dans l'une de ses villes, ont d'abord une fonction politique et symbolique. Elles miment et donnent à voir le pacte qui lie le roi et la communauté urbaine. Mais cette fête qui réunit dans une œuvre d'ensemble tous ceux qui participent de près ou de loin à la représentation, du « metteur en scène » à l'acteur des tableaux vivants, du funambule à la mode au machiniste, etc., est aussi l'occasion de commémorer et de vulgariser à l'intention d'un public vaste et mélangé les scènes et les motifs clés du patrimoine religieux, historique, folklorique de la nation. L'*Entrée royale* devient à son tour objet littéraire sous la plume de qui la relate : ainsi du récit détaillé que fait Froissart dans ses *Chroniques* de l'entrée à Paris de la reine Isabeau de Bavière en 1389 ou, dans un domaine voisin, de la relation que fait Christine de Pizan, dans le *Livre des fais... de Charles V,* de la venue à Paris de l'empereur d'Allemagne Charles IV.

À partir du XIVe siècle cependant, et plus encore au XVe siècle, l'activité littéraire et artistique est liée à l'espace des cours royales et princières. On constate ainsi une sorte de dissémination et de particularisation de la production littéraire qui est fonction du « style » que chaque prince entend donner à sa cour.

La plus connue de ces cours, la plus rayonnante, celle qui a provoqué par son faste et sa splendeur l'admiration des contemporains est la cour de Bourgogne au temps de Philippe le Bon (voir p. 30). Le trait dominant de cette cour, le style qu'elle crée et impose, est un retour à l'esprit chevaleresque et aux valeurs aristocratiques et courtoises. Cette résurgence d'un passé quasi mythique de la chevalerie est marquée au plan littéraire par la mise en prose systématique des chansons de geste et des romans d'aventures chevaleresques des XIIe et XIIIe siècles ou par des créations plus originales. Se développe également une historiographie officielle célébrant la splendeur et la gloire de la cour de Bourgogne et de ses princes. Dans le même esprit, des biographies romanesques exaltent des chevaliers du temps présent qu'a su former et/ou s'attacher la cour de Bourgogne.

Les textes mais aussi le rituel de la vie de cour, les fêtes, les tournois, les Pas d'armes (joutes soigneusement préparées et codifiées) ressuscitent ce qui est perçu comme l'âge d'or de la chevalerie et de la prouesse. Sur le modèle d'Arthur et des chevaliers de la Table ronde, Philippe le Bon institue l'Ordre de la Toison d'Or (qui a ses

MANIFESTATIONS : 1050-1200

Sont étudiés sous ce « titre » repris à P. Zumthor (*Essai,* p. 58 et *sq.*) trois types de texte, la chanson de geste, la poésie lyrique et le roman, que nous saisissons déjà constitués en forme littéraire, dans leurs premières et décisives manifestations, mais dont la genèse, l'élaboration nous restent obscures.

Les plus anciens textes en langue romane

Les plus anciens textes en langue romane n'ont pas d'emblée vocation littéraire. Si les *Serments de Strasbourg* (842) ont été prononcés/rédigés en langue romane et germanique, c'est afin que les soldats de Charles le Chauve et de Louis le Germanique puissent comprendre exactement la teneur d'une formule qui les engageait. Quant aux autres textes conservés, du IXe au milieu du XIe siècle environ, ils sont d'abord destinés à l'édification des fidèles et plus ou moins intégrés au cadre liturgique.

Ainsi du *Sermon sur Jonas* (région de Valenciennes, milieu du Xe siècle) dans lequel alternent latin et roman et qui conserve, transcrit par le prédicateur lui-même, l'essentiel du sermon qu'il allait prononcer. De la même région provient la *Séquence de sainte Eulalie* (vers 881), transcrite dans le manuscrit à la suite d'une séquence latine également dédiée à la sainte. Ce court texte de 29 vers (quatorze distiques assonancés du type : *Buona pulcella fut Eulalia/bel auret corps, bellezour anima,* etc.), se clôt sur un vers isolé en *-ia* qui relie la séquence à un *Alleluia* dont elle est en somme le prolongement et la glose. Le texte roman suit assez fidèlement le schéma mélodique et prosodique de la séquence latine, mais le contenu en est plus descriptif et plus narratif. Rien ne permet cependant de penser que cette œuvre, qui témoigne de la culture cléricale de son auteur et d'une recherche stylistique certaine, ait été destinée à un public moins lettré que celui auquel s'adresse la séquence latine.

La *Vie de saint Léger* (seconde moitié du Xe siècle) et un récit fragmentaire de la vie du Christ, la *Passion de Clermont* (fin du Xe siècle, conservée dans le même manuscrit que le *Saint Léger*), tous deux destinés au chant et composés en strophes d'octosyllabes assonancés, ont pu aussi bien être intégrés à la liturgie (fête du saint, office des Rameaux) que diffusés par des récitants professionnels.

Le lien avec la liturgie (mais non la vocation édifiante) se fait moins insistant avec la *Chanson de sainte Foy* (deuxième tiers du XIe siècle), composée en langue d'oc. Contant la vie et le martyre de la sainte en courtes laisses d'octosyllabes rimés, savamment construite, la *Chanson* a pu accompagner, dans l'église, une procession en l'honneur de la sainte. Mais le prologue, dans lequel le récitant prend seul en charge l'exécution du texte, en vante les mérites littéraires et espère une rétribution, permet d'envisager une diffusion déjà indépendante de la liturgie.

Quant à l'*Aube bilingue* dite de Fleury-sur-Loire, composée au Xe siècle sinon plus haut, et dont le refrain, écrit dans une langue qui pastiche peut-être la langue vulgaire, s'oppose aux strophes écrites en latin, elle montre déjà quels effets littéraires et poétiques son auteur a su tirer de la juxtaposition concertée de deux idiomes et de deux registres de langue.

Composée au milieu du XIe siècle, la *Vie de saint Alexis* marque une étape importante dans le développement de la littérature en langue française. Par son sujet, son mode d'exécution (elle était chantée), par sa dépendance envers sa source latine (la légende de saint Alexis, d'origine syrienne, a été diffusée par des *Vitae* latines dans l'Occident médiéval), ce texte se rattache à la production antérieure. Mais il est écrit dans une forme nouvelle et très élaborée : cent vingt-cinq strophes de cinq décasyllabes assonancés dont le rythme et la césure annoncent ceux du décasyllabe épique. Savamment composé, le récit se déroule dans des espaces variés : Rome, d'où est originaire le saint, où il revient mourir, l'Orient (Edesse) où il se réfugie et accomplit ses premiers miracles. Alternent également les situations narratives évoquant tour à tour les voyages, les épreuves du saint, la douleur des parents, de sa femme, etc. Enfin, exaltant non plus le désir et la gloire du martyre sanglant mais un idéal de vie chrétienne fondé sur le renoncement au monde et à la chair, sur l'ascèse quotidienne, la *Vie* propose un nouveau type de héros et de saint : le pauvre de Dieu. La séparation d'Alexis et de sa femme au soir de leurs noces, la description du pauvre inconnu, réfugié sous l'escalier de la maison paternelle et maltraité, la déploration des parents, de la femme sur le cadavre du saint sont également autant de motifs qu'ont repris la poésie lyrique et la littérature narrative.

Conservée par cinq manuscrits, ce qui atteste déjà de son succès, la *Vie de Saint Alexis* a fait l'objet de trois remaniements aux XIIe et XIIIe siècles. Elle apparaît ainsi comme le texte fondateur d'un genre abondamment représenté à partir du XIIe siècle, la vie de saint en langue française, où s'illustreront des auteurs aussi divers que Wace *(Vie de saint Nicolas, Vie de sainte Marguerite),* Guernes de Pont-Sainte-Maxence *(Vie de saint Thomas Becket),* Rutebeuf *(Vie de sainte Marie l'Égyptienne, de sainte Élizabeth de Hongrie),* etc.

La chanson de geste

Définitions

On appelle chanson de geste de longs poèmes qui célèbrent sur le mode épique les exploits guerriers de héros — des chevaliers français pour la plupart — devenus très tôt des personnages légendaires.

La chanson de geste, qui est la plus ancienne forme littéraire en langue française d'inspiration profane, apparaît vers la fin du XIe siècle avec la *Chanson de Roland* (version du manuscrit d'Oxford) suivie, au début du XIIe siècle, de la *Chanson de Guillaume* et du fragment de *Gormont et Isembart.* La majorité des chansons conservées (environ cent cinquante) ont été composées aux XIIe et XIIIe siècles. À partir du XIVe siècle, le genre est nettement moins productif mais la thématique épique perdure et se renouvelle jusqu'au XVe siècle avec les remaniements et mises en prose des chansons antérieures.

Bien attestés dans les textes, les termes *chanson* et *geste,* l'expression *chanter de geste* et le syntagme plus tardif *chanson de geste* renvoient d'abord à la caractéristique essentielle, mais pour nous difficile à restituer, de ces textes ayant la « double nature d'un chant et d'un récit » (J. Rychner, *la Chanson de geste,* p. 125). Ils étaient en effet chantés en public ou plutôt psalmodiés par un jongleur s'accompagnant à la vielle. Chaque chanson avait sa mélodie propre mais celles-ci n'ont pas été conservées.

Le terme polysémique de *geste,* issu du pluriel neutre latin *gesta,* signifie ce qui a été fait et par extension les actions, les exploits héroïques. Mais, dès le *Roland,* il désigne aussi les hauts faits d'un groupe *(la geste Francor),* recueillis par un texte-source ou tels que les célèbre la chanson : *Ci falt la geste* (le récit ou le texte-source) *que Turoldus declinet* (achève), déclare le dernier vers de la chanson. Dans le prologue de la *Prise d'Orange* (*Oez seignor, franc chevalier honeste / Plest vos oïr chançon de bonne geste ?* v. 31-32), *geste* désigne à la fois les exploits de Guillaume d'Orange et de ses neveux et le lignage héroïque que célèbre la chanson.

Le style épique

Le caractère essentiellement formulaire et traditionnel du style épique, le mode de structuration du récit qu'il pratique, les motifs qu'il utilise, tels qu'ils sont fixés dès le *Roland* d'Oxford et remployés sans modification fondamentale dans les chansons ultérieures, assurent à la chanson de geste une très forte cohésion formelle.

La chanson est constituée d'unités sémantiques et musicales appelées laisses. La laisse est « une série de vers, en nombre indéterminé, ayant même voyelle tonique finale, qu'il s'agisse, comme dans les formes anciennes, de l'assonance ou, comme dans les formes tardives, de la rime » (G. Moignet, *la Chanson de Roland,* p. 5). Le vers le plus usuel est le décasyllabe épique présentant une coupe forte après la quatrième syllabe. On trouve moins fréquemment des octosyllabes *(Gormont et Isembart)* et des dodécasyllabes avec coupe après la sixième syllabe. La laisse est généralement considérée comme une expansion du couplet régulier caractéristique des chansons/vies de saint.

La fragmentation du récit en laisses répond sans doute

aux nécessités et aux aléas de la récitation publique. Mais les modes d'association des laisses — principalement : *laisses enchaînées* dans lesquelles la reprise au début d'une laisse du dernier vers de la laisse précédente accentue la liaison tout en soulignant le recommencement ; *laisses similaires* qui reprennent un même motif ou moment narratif mais avec variations et déplacements de point de vue — donnent à la chanson son tempo spécifique : La progression linéaire mais fortement scandée de l'action sur l'axe chronologique est suspendue par des pauses durant lesquelles la durée se dilate et se creuse, proposant un premier essai de configuration originale du temps du récit.

Une caractéristique de la chanson de geste est ce que l'on a appelé le « style formulaire ». Le récit épique se fonde en effet sur le retour, à l'intérieur de la chanson ou d'une chanson à l'autre, de motifs comme l'armement, le combat, général ou singulier, la poursuite, l'ambassade, la prière du plus grand péril (ou credo épique), la déploration funèbre, etc. Mais le motif épique se définit moins par son contenu que par la spécificité des procédés rhétoriques qu'il met en œuvre et qui distinguent un combat « épique » d'un combat « romanesque » par exemple. Le motif épique est en effet lui-même constitué (développé à l'aide) de formules, c'est-à-dire de noyaux lexicaux et sémantiques dont les actualisations varient d'abord selon les nécessités du rythme et de l'assonance (voir par exemple, à partir des vers 1197, 1225, 1245, etc. du *Roland,* les différentes manières de formuler l'acte d'éperonner un cheval).

Conclure cependant, compte tenu de l'importance du style formulaire, que « vu d'une certaine hauteur le genre entier paraît cliché » (J. Rychner, p. 126) est sans doute excessif. Un examen détaillé des motifs et des formules utilisés dans un corpus donné permet en effet de mieux cerner leur diversité, les différences stylistiques entre les chansons, ou entre les versions d'une même chanson, ou les résonances nouvelles d'un même motif utilisé dans un contexte autre.

C'est aussi sans doute courir le risque de masquer les enjeux esthétiques et idéologiques de ce mode d'écriture. Le style formulaire permettait sans doute au jongleur, comme l'a pensé J. Rychner, d'improviser en partie la chanson à partir d'un canevas donné et de la modifier en fonction des conditions de la récitation. Il est évident que les chansons de geste telles que nous les lisons portent la trace dans leur mode de présentation *(Oez seignor !...)* et de conception de leur diffusion orale. Peut-être même s'agit-il d'effets concertés, destinés à maintenir dans l'écrit la fiction de l'oralité. Les variantes que l'on relève entre les différentes versions d'une même chanson, l'importance et la précocité des remaniements témoignent également de la mouvance du texte épique. Cependant, comme l'a rappelé D. Poirion (*Précis,* p. 65), les textes conservés nous montrent comment l'écriture, même seconde, de la chanson « a fait de ces procédés une mode, un style définissant un genre, au-delà des nécessités de l'art. »

Donnant au genre sa cohésion, multipliant les points de repère et de reconnaissance, le style formulaire établit enfin d'emblée un lien de connivence entre le jongleur et son public, l'invite et l'aide à commémorer et à évoquer de concert ce qui est l'essence même de la chanson de geste : le passé héroïque de la nation, incarné par la figure légendaire de Charlemagne et de ses guerriers. Communication rituelle et ritualisée dont on retrouve peut-être l'équivalent au XVe siècle avec les grands *Mystères de la Passion.*

Figures et thèmes épiques

La figure centrale de la chanson de geste, celle autour de laquelle elle s'organise d'abord, est l'empereur Charlemagne tel que le décrit la laisse VIII du *Roland* : un empereur qui siège en majesté dans un verger toujours vert, entouré de ses plus illustres guerriers et de ses chevaliers dont chacun, jeune ou vieux, occupe sa place exacte dans l'ordre du monde. Image hiératique qui laisse déjà prévoir, au-delà du bruit et de la fureur qui vont se déchaîner, la victoire finale de Charles sur les Sarrasins. Cette même laisse énonce en effet le thème majeur du texte épique : la lutte toujours réactivée des représentants du bien contre les forces du mal, et plus précisément la lutte des chevaliers chrétiens, de ceux qui ont le droit pour eux (*Païen unt tort e chrestiens unt dreit,* v. 1015) contre les païens qui doivent soit mourir soit se convertir.

Dès le *Roland,* Charlemagne est à la fois l'acteur et le garant de ce combat. L'héroïsme avec sa fougue, sa démesure mais aussi ses limites est d'abord représenté par le neveu du roi. Mais l'orgueil de Roland, qui contraste avec la sagesse tout aussi héroïque de son compagnon Olivier, la double faute qu'il commet en excitant la haine de Ganelon et en refusant d'appeler Charles à son aide, causent la défaite des Francs. Roland meurt en martyr, rachetant ainsi sa faute, et Dieu, qui l'accueille dans son paradis, accepte son sacrifice. Cependant, seul Charlemagne, par sa victoire finale sur l'émir Baligant, assure au plan terrestre et au plan divin (par la conversion de la reine Bramimonde notamment) le triomphe un moment menacé de la chevalerie et de la chrétienté.

Plusieurs chansons de geste exaltent également en Charlemagne le champion de la chrétienté contre les Sarrasins envahisseurs de l'Italie *(Aspremont, Fiérabras),* contre les Saxons (*Chanson des Saisnes* de Jean Bodel) ou en Espagne encore (*Anseïs de Carthage* par exemple). Une chanson enfin assez difficile à interpréter, le *Voyage de Charlemagne à Jérusalem et à Constantinople,* parachève non sans humour cette image. À Jérusalem, les miracles se multiplient sur le passage de Charles et des douze pairs. À Constantinople, grâce à la prouesse de ceux-ci et au pouvoir de séduction d'Olivier, le roi triomphe de l'empereur Hugon et des maléfices de l'Orient et, lorsqu'il revient à Saint-Denis, la femme de Charlemagne est obligée de reconnaître la suprématie un moment contestée de son royal époux et de sa chevalerie.

La lutte contre les Sarrasins est aussi le thème principal des chansons — la plus ancienne est la *Chanson de Guillaume* — qui prennent comme héros Guillaume d'Orange et l'ensemble de son lignage : l'ancêtre, Garin de Monglane, le père, Aymeri de Narbonne, les multiples neveux mais aussi la femme de Guillaume, la princesse sarrasine Orable, conquise de haute lutte (la *Prise d'Orange*) et alors baptisée sous le nom de Guibourc. La plupart des chansons de ce cycle jalonnent, par leur titre même (*Charroi de Nimes, Prise d'Orange, Aliscans, Siège de Barbastre, Prise de Cordres et de Sebille,* etc.), les succès et les défaites d'une *reconquista* idéale de l'Espagne sarrasine. Mais certaines, comme le *Couronnement de Louis* ou le *Charroi de Nimes,* font état d'une crise de la royauté. Les efforts de Guillaume sont menacés par l'attitude d'un roi qui se montre ingrat vis-à-vis de son plus fidèle champion et qui refuse de le soutenir, au plan matériel déjà *(Charroi de Nimes).* À la différence de Roland et de son neveu Vivien qui meurt à son tour en martyr *(Chanson de Guillaume, Aliscans, Chevalerie Vivien),* Guillaume, héros fortement typé (il est Guillaume *au corb nés* ou *cort nés,* son rire est énorme, son étreinte [*Guillaume Fierebrace*] redoutable), héros exemplaire par sa prouesse, son endurance, sa fidélité patiente à sa mission, ne meurt pas sur le champ de bataille mais sous l'habit monastique et en odeur de sainteté. Encore sort-il une dernière fois de son abbaye pour triompher, à Paris, du géant Ysoré *(Moniage Guillaume).*

Les chansons consacrées aux vassaux rebelles sont beaucoup plus disparates. Le thème de la révolte contre le roi est ancien. Il est déjà présent dans le *Roland* avec la trahison de Ganelon, son jugement, son supplice. Le fragment de *Gormont et Isembart* chante la révolte du renégat Isembart qui aide le païen Gormont contre le roi Louis. Les chansons postérieures relatent plutôt les étapes et les vicissitudes des affrontements entre le roi (Charlemagne, Charles Martel, etc.) et l'un de ses vassaux, affrontements généralement provoqués par une faute du roi ou de son entourage *(Girart de Roussillon, Girart de Vienne, Chevalerie Ogier, Renaud de Montauban). Raoul de Cambrai,* qui oppose le héros à son ancien écuyer Bernier et au lignage de ce dernier, chante les luttes sanglantes de deux familles féodales pour la possession d'un fief et leur révolte finale contre un roi là encore responsable de leur différend. Quant aux chansons sauvages du « cycle des Lorrains » *(Garin le Lorrain, Gerbert de Metz),* elles racontent elles aussi les guerres interminables que se livrent deux clans rivaux, les Lorrains et les Bordelais, et l'impuissance d'un roi d'ailleurs complice (il s'agit de Pépin) à y mettre fin.

Plus nettement encore que les chansons du « cycle de Guillaume », *Raoul de Cambrai* et le « cycle des Lorrains » mettent ainsi en évidence les troubles qu'entraînent la carence et la faiblesse physique et/ou morale du roi. Décrivant non sans complaisance les révoltes des vassaux, elles plaident de fait pour le maintien ou la restauration d'un pouvoir royal fort, seul capable d'apaiser les tensions entre les grands féodaux.

Les chansons de geste et l'histoire

Origines

L'espace-temps de la majorité des chansons de geste et le personnel épique dans son ensemble renvoient à l'époque carolingienne (VIIIe-Xe siècle), au règne de Charlemagne et de ses prédécesseurs ou descendants immédiats. Plus précisément la *Chanson de Roland* reprend un fait historique, relaté et par les annales carolingiennes et par l'historiographie arabe (mais aucun document contemporain de l'événement ne cite Roland), l'extermination, le 15 août 778, à Roncevaux, par des Basques, de l'arrière-garde de l'armée de Charlemagne. Pour d'autres chansons, on a pu également mettre en évidence un substrat historique. On a ainsi reconnu dans le Guillaume épique (saint) Guillaume, comte d'Aquitaine et de Toulouse, investi par Charlemagne du comté de Toulouse, qui a mené plusieurs expéditions contre les Sarrasins d'Espagne et fondé l'abbaye de Saint-Guilhem-du-Désert. R. Louis s'est attaché à montrer, dans son étude *Girart, comte de Vienne dans les chansons de geste,* que les héros des chansons de *Girart de Roussillon* et de *Girart de Vienne,* le Girart de Fraite d'*Aspremont* étaient trois avatars d'un personnage historique : Girart, comte de Vienne, en révolte contre Charles le Chauve. Le problème de l'hérédité du fief, tel qu'il se pose dans *Raoul de Cambrai,* renvoie à la situation juridique du Xe siècle et le substrat historique de la chanson (la guerre des deux lignages) semble confirmé par un passage des *Annales* du chanoine de Reims, Flodoard, à l'année 943.

Ces relations, au reste parfois bien précaires, entre les chansons et l'histoire carolingienne posent d'abord le problème de la transmission, jusqu'à la fin du XIe siècle au moins, d'événements survenus aux VIIIe, IXe et Xe siècles. Plusieurs thèses se sont sur ce point longuement affrontées. Pour J. Bédier, qui rejette la thèse romantique — soutenue par G. Paris — des cantilènes, de chants lyrico-épiques nés spontanément au contact de l'événement puis transmis ensuite oralement, les chansons de geste, d'origine savante et cléricale, sont nées au XIe siècle dans les sanctuaires jalonnant les routes de pèlerinage vers Saint-Jacques-de-Compostelle, Rome, la Terre sainte, etc. Elles résultent de la collaboration des moines, détenteurs de chroniques et/ou de légendes locales et des jongleurs. Quant au *Roland* d'Oxford, il est l'œuvre d'un écrivain génial, Turoldus, véritable créateur de la chanson de geste comme forme littéraire.

Cette thèse a été discutée par les « historiens », tel René Louis, qui insistent sur la continuité de la tradition épique en faisant état de textes *(Fragment de La Haye, Nota Emiliense)* qui témoignent d'une activité poétique antérieure aux chansons conservées et qui a su maintenir la mémoire des événements. S'appuyant sur l'exemple du *Romancero* espagnol, R. Menendez Pidal dans son étude, *la Chanson de Roland et la Tradition épique des Francs,* a plutôt insisté sur le perpétuel devenir du genre épique et soutenu que le *Roland* ne représentait qu'un moment, exceptionnel, d'une production poétique ininterrompue depuis l'événement.

Plus récemment P. Le Gentil (*la Chanson de Roland,* Paris, Hatier, 1967), sans nier l'existence d'une « activité épique latente » et de traditions antérieures aux chansons connues, mais à peu près impossibles à atteindre, insiste sur la « mutation brusque » qu'est l'apparition de la *Chanson de Roland,* mutation dans laquelle il reconnaît l'intervention décisive du « responsable de la version d'Oxford », Turoldus ou quelque autre.

Le contexte historique et féodal

La réactivation, à la fin du XIe siècle, des légendes épiques attachées à Charlemagne et à son temps, le succès durable qu'a connu la chanson de geste posent d'autre part le problème des liens entre cette forme littéraire et son temps : temps de la croisade, temps de l'essor et de l'affermissement de la royauté capétienne.

Il est clair en effet que bien des chansons, le *Roland*

mais aussi l'ensemble du « cycle de Guillaume », sont animées de l'esprit de la croisade et de la *reconquista* espagnole. Les exploits de Charlemagne et de Guillaume, le martyre de Roland à Roncevaux, de Vivien, le neveu de Guillaume, à la bataille de l'Archamp, sont autant de modèles proposés aux chevaliers des croisades, d'images idéalisées d'une guerre juste, sinon sainte, où l'on tue et l'on meurt pour le salut de son âme, la gloire de Dieu et l'expansion de la chrétienté.

Un nombre important de chansons, qu'elles soient légalistes (« cycle de Guillaume ») ou mettent en scène les vassaux rebelles, semblent également projeter dans l'espace carolingien les conflits qui opposent, au XIIe siècle, le pouvoir capétien et les grands féodaux. Le début du *Couronnement Louis* (entre 1131 et 1150) est un véritable discours sur les devoirs et les responsabilités du roi, le texte lui-même et son héros Guillaume réaffirmant le principe du pouvoir royal, quelle que soit par ailleurs la valeur de l'héritier, et soulignant la nécessaire complémentarité du roi et de ses chevaliers.

La chanson de geste est ainsi à bien des égards « la première rencontre durable et massive de l'épopée et de la politique » (D. Boutet et A. Strubel, *Littérature, Politique et Société,* ouvr. cit., p. 39). Cet aspect, important, ne doit pas cependant masquer une dimension essentielle du genre qui reste d'abord voué à l'exaltation de la force guerrière et de la caste des chevaliers. Bien des chansons et non des moindres (*Raoul de Cambrai,* le « cycle des Lorrains ») ou certaines chansons du « cycle de Guillaume » déploient une violence gratuite, sûre d'elle-même, qui s'achève, dans le cas de *Raoul de Cambrai,* dans la démence et le blasphème. La lutte contre les Sarrasins est aussi parfois un alibi facile. Un motif récurrent (inauguré par le *Roland* avec la conversion de Bramimonde) — celui de la princesse sarrasine immédiatement séduite par le chevalier franc et qui se convertit et lui abandonne son corps et sa ville — trahit/traduit, mieux peut-être que les combats livrés au nom de Dieu et de « douce France », une structure profonde de la chanson de geste : le rêve de s'approprier l'Orient et ses fabuleux trésors.

Évolution et renouvellement

Les cycles épiques

Le *Roland* d'Oxford, la *Chanson de Guillaume, Raoul de Cambrai,* etc., ont été conservés dans des manuscrits isolés et souvent peu soignés. L'ensemble de la production épique cependant a fait l'objet dès le Moyen Âge d'une répartition en trois gestes (ou cycles) : la « Geste du Roi » (autour de Charlemagne), la « Geste de Garin de Monglane » (dont le personnage principal est Guillaume) et la « Geste de Doon de Mayence » (ou des barons rebelles). Cet essai d'organisation n'aboutit pleinement (au niveau des manuscrits) que pour le « cycle de Guillaume » ou des cycles un peu plus tardifs comme le « cycle des Lorrains ». Dans le cas du « cycle des barons rebelles », il isole au moins idéalement, dans l'esprit des jongleurs et de leur public, une geste, un lignage, celui du traître Ganelon, qui porte la responsabilité de la « faute originelle », du déferlement de la violence et de la révolte dans l'univers épique.

La plus ancienne chanson du « cycle de Guillaume » est la *Chanson de Guillaume,* mais ce sont des versions plus tardives de la bataille de l'Archamp qui ont été incorporées au cycle : *Chevalerie Vivien* et *Aliscans.* Un noyau ancien est également constitué par les trois chansons du *Couronnement Louis,* du *Charroi de Nimes* et de la *Prise d'Orange.* À partir de ces récits ont été composées des chansons qui relatent les enfances ou la mort du héros et les exploits de ses ancêtres ou de ses neveux. Ces chansons, vingt-quatre au total, disposées dans les manuscrits cycliques du XIIIe et du XIVe siècles non d'après leur date de composition mais selon l'ordre chronologique des faits poétiques rapportés, proposent ainsi une biographie légendaire à peu près exhaustive du lignage, de la « geste » de Guillaume. Un phénomène semblable mais moins systématique s'est produit pour Charlemagne dont on a conté la naissance *(Chanson de Berte au grant pié),* les enfances, les expéditions successives.

La mise en cycle est un processus assez général qui touche aussi bien le roman (au XIIIe siècle) que la chanson de geste et qui se retrouve dans d'autres littératures (cycles homériques par exemple). Dans le cas spécifique du « cycle de Guillaume », elle est sans doute également liée à des préoccupations idéologiques. Inventer d'une chanson à l'autre l'arbre généalogique d'une famille épique, c'est aussi déployer harmonieusement, à l'intention de la classe chevaleresque, un mythe qui célèbre sa naissance, retrace les étapes de son expansion, exalte sa mission au monde et légitime ses droits, chèrement acquis, à la possession d'un héritage prestigieux.

La tentation romanesque

Dans le *Roland,* l'amour n'intervient guère. Le héros à l'agonie n'a pas une pensée pour Aude, sa fiancée, la sœur d'Olivier qui, elle, meurt lorsque Charlemagne lui apprend la triste nouvelle. Dans la *Prise d'Orange* cependant, Guillaume s'éprend d'un « amour de loin » pour la belle Orable, fiancée à un roi sarrasin, et décide de conquérir la ville d'Orange où elle se trouve. Le couple Guillaume et Guibourc (nom chrétien d'Orable) apparaît dans d'autres chansons du cycle comme modèle idéal d'amour conjugal et d'efficace tendresse. La deuxième partie, plus tardive, de *Raoul de Cambrai* détaille les amours, contrariées par le roi, de Bernier et de la belle Béatrice sa femme. Le motif de la Sarrasine amoureuse revient enfin avec fréquence dans les chansons. À l'imitation sans doute du roman, l'amour tient ainsi une place assez importante dans l'univers épique mais il n'en constitue jamais le principe fondateur. Il génère des aventures mais, s'il lui donne l'occasion de la manifester, il n'ordonne pas la prouesse du chevalier. Débouchant généralement sur le mariage, il renvoie bien souvent à des fantasmes de possession qui confondent la femme avec le fief/la ville qu'elle transmet à son mari.

La dérive de la chanson de geste vers le roman, dérive limitée par l'important barrage qu'est la structure formelle du genre, se fait plutôt par l'intrusion de l'aventure et du merveilleux de type féerique (et non chrétien). Un bon exemple en est la chanson d'*Huon de Bordeaux* (vers 1220), voyage jalonné d'aventures extraordinaires dans un Orient fabuleux et au cours duquel le héros triomphe d'épreuves et de tentations multiples à l'aide du nain Aubéron, fils de la fée Morgain, et de son cor magique. Relèvent également autant du roman d'aventures que de la thématique épique les chansons du « cycle de Nanteuil », *Aye d'Avignon, Parise la Duchesse* ou le tardif *Tristan de Nanteuil* (XIVe siècle). L'influence du roman a dû également entraîner des modifications d'ordre stylistique. Dans la chanson de geste tardive tend à se substituer au rythme épique discontinu une narration plus coulée où s'estompent les contours de laisses de plus en plus amples, de moins en moins structurées.

Chanson de geste et croisade

La première croisade, dont on possède par ailleurs des relations en prose latine puis française, est le thème d'un ensemble de chansons (« Premier cycle de la Croisade ») qui célèbre les exploits et les souffrances des croisés devant Antioche (*Chanson d'Antioche,* vers 1180) et devant Jérusalem *(Conquête de Jérusalem).* Traitant d'un passé historique récent, et écrites au contact d'une actualité encore dominée par l'idée de croisade, ces chansons présentent un dosage très original du style épique traditionnel et de la relation assez précise mais magnifiée par l'écriture et les structure épiques des événements historiques.

Un « Second cycle de la Croisade », plus tardif, s'est organisé autour de Godefroy de Bouillon, chef militaire de la première croisade et premier roi de Jérusalem, à qui l'on invente un ancêtre fabuleux, le Chevalier au Cygne.

C'est également la forme épique qu'utilisent les auteurs de la *Chanson de la croisade albigeoise* (première moitié du XIIIe siècle), Guillaume de Tudèle et l'anonyme, responsable de la majeure partie du texte et violemment hostile aux Français. Document historique, la chanson est dans sa seconde partie célébration nostalgique des valeurs fondatrices de la civilisation occitane détruite par la guerre.

La poésie lyrique aux XIIe et XIIIe siècles : troubadours et trouvères

Définitions

On appelle troubadours des poètes qui furent en même temps des musiciens, qui ont écrit dans une forme littéraire de la langue d'oc et qui sont les fondateurs de la poésie lyrique en langue vernaculaire. Leur production, environ deux mille cinq cents pièces anonymes ou attribuées (nous connaissons les noms d'environ trois cent cinquante poètes) conservées dans des manuscrits dits chansonniers, s'étend de 1100 environ à la fin du XIIIe siècle. Le terme *troubadour* (en occitan *trobador*), dérive du verbe *trobar* qui désigne dans les textes lyriques l'activité poétique elle-même. Issu du latin *tropare,* ce terme renvoie aux deux aspects essentiels de cette poésie et d'abord à son rapport au chant. *Tropare* signifie en effet, en latin médiéval, composer des tropes, c'est-à-dire des pièces chantées en latin et destinées à orner le chant liturgique. Mais *tropare/trobar* désigne aussi une activité littéraire qui se donne comme création, invention, « trouvaille » poétique.

À partir de 1160 environ, les structures formelles et la thématique de la lyrique occitane ont été reprises en langue d'oïl par les trouvères, mais l'influence des troubadours s'est également étendue en Allemagne (les *Minnesänger*), dans la Péninsule ibérique et en Italie du Nord. Dans son *De Vulgari Eloquentia,* Dante reconnaît dans les troubadours et les trouvères les précurseurs de son entreprise littéraire et dans la *canso* (chanson) la forme parfaite de l'expression poétique.

Guillaume IX et les débuts de la lyrique occitane

Onze *cansos,* attribuées à Guillaume IX, duc d'Aquitaine, comte de Poitiers, qui vécut de 1071 à 1127, sont les plus anciennes pièces connues de la lyrique occitane. Six de ces pièces sont d'inspiration comique, voire franchement obscène. L'une est un adieu mélancolique aux plaisirs et aux activités mondaines et chevaleresques. Quatre enfin, de ton très différent, célèbrent un amour fait d'attente, de tendresse et de respect pour la dame, la *domna* anonyme à laquelle il s'adresse. Ces pièces posent un double problème :

— l'émergence en langue vernaculaire, même si Guillaume a eu des prédécesseurs, d'une forme poétique nouvelle que le poète appelle *vers* (adaptation du latin *versus* au sens de composition poétique et musicale) ;

— l'apparition, qui coexiste dans l'œuvre de Guillaume avec des formulations beaucoup plus libres, d'une représentation de l'amour exaltant le désir et non la jouissance et dont le mot clé est déjà chez Guillaume *obediens/obediensa* (la soumission parfaite à la dame).

La fin'amor

Cette nouvelle représentation poétique de l'amour a été reprise et systématisée par les troubadours puis les trouvères sous les termes de *fin'amor* ou *amor cortés (courtois).* La *fin'amor,* expression dans laquelle l'adjectif *fin* au féminin (*amor* est du féminin en ancien français comme en ancien occitan) signifie un amour porté à son plus haut degré de perfection, est un alliage complexe. Elle est d'abord liée à un nouvel idéal de société, la courtoisie (voir p. 41), tel qu'il s'élabore alors dans les cours et les villes du Midi. Selon les troubadours en effet, seul peut pratiquer la *fin'amor,* accéder au statut de *fin amant* celui qui possède les qualités constitutives de la courtoisie : essentiellement la mesure, maîtrise du comportement, du langage, des sentiments, la largesse, la générosité matérielle et morale et la *joven* (jeunesse) qui est surtout disponibilité, ouverture d'esprit.

La doctrine de la *fin'amor* possède aussi une dimension morale. Les troubadours n'ont pas, comme on l'a souvent dit, inventé l'amour. Mais ils ont forgé une éthique de la sexualité. Ils ont affirmé (et peut-être cru) que le désir charnel mais maîtrisé, discipliné dans et par le cadre courtois, pouvait devenir une valeur (et non simplement une fonction), que les pulsions érotiques, pour l'homme qui prend le risque de s'y soumettre pour les mieux dominer, pouvaient être la source vive d'un *melhurar,* d'une amélioration de l'être. Source de toutes les vertus au plan moral et social, la *fin'amor* est enfin et surtout le principe créateur de l'écriture poétique et la garantie de son excellence. Bernard de Ventadour met ainsi en rapport absolu de l'amour et perfection du chant.

L'amour à qui les troubadours confèrent une si éminente dignité et qui apparaît comme la clé de voûte d'un système de valeurs, d'une morale laïque qui viendrait doubler, à l'usage des « courtois », la morale religieuse, ne saurait se confondre avec les satisfactions de l'amour physique ou les drames de la passion. Ce qu'essaie de capter la poésie occitane, c'est le moment essentiel où le désir de l'autre s'impose à l'amant/poète et la méditation tour à tour voluptueuse et douloureuse qu'il poursuit à évoquer la dame, la jouissance qu'elle pourrait lui donner mais aussi la distance qui la sépare de l'amant. Distance que le texte s'efforce d'abolir, alors que c'est précisément dans l'espace ainsi ménagé entre l'amant et la dame que se déploie ce désir d'aimer et cette écriture du désir demeuré désir qu'est la *canso.*

L'un des termes clés de cette lyrique, le mot *joi,* dit mieux que son équivalent français *joie* cet acquiescement ébloui de l'amant aux forces du désir dont le chant poétique s'efforce de conserver la trace.

Le système de conventions et de motifs que forge et utilise la *canso* est en étroite relation avec le moment, la situation érotique que cette poésie isole et privilégie. Insistant sur la soumission à la dame, au désir qu'elle suscite, elle transpose la relation qui unit dans l'espace social le vassal à son seigneur. L'amant s'y met au service d'une dame (*midons* en occitan, appellatif masculin, dérivé de *meus dominus*), devient son *homme,* s'engage à lui rester fidèle mais attend en échange le *guerredon* (la récompense) des services rendus et implore, le cas échéant, sa *merce* (merci).

Fondée sur la nécessité de l'obstacle, elle chante une dame mariée, d'un rang plus élevé que l'amant (quel que soit par ailleurs le statut réel de ce dernier), donc doublement inaccessible. Le *senhal,* le pseudonyme sous lequel le troubadour la désigne, renvoie à l'exigence du secret, de la discrétion en amour. Il permet au poète d'échapper à la malveillance des *lauzengiers,* de ceux qui épient et dénoncent les amants. Il est aussi le nom fixant l'image de la dame et de l'amour propre à chaque troubadour, celui en qui se cristallise l'inspiration poétique. Le motif printanier enfin (la *reverdie*), par lequel débute bien souvent la *canso,* lie de manière concrète le retour des forces vives de la nature au renouveau du désir amoureux et au renouvellement de l'inspiration, dit l'instant où la sensation vive s'impose et se transmute en création poétique.

Les formes du trobar

La forme essentielle de la lyrique occitane est la *canso* (chanson). Elle est composée d'un nombre variable de strophes ou *coblas* qui sont des unités métriques, musicales et sémantiques. Chaque *cobla* est divisée en deux parties par le jeu et la répartition des vers et des rimes. Toutes les strophes d'une *canso* présentent un même schéma métrique, mais les rimes peuvent varier d'une strophe à l'autre *(coblas singulars),* toutes les deux strophes *(coblas doblas)*, etc., ou être identiques dans toutes les strophes *(coblas unissonans).* Ce dernier type est à la fois la forme la plus fréquente et la plus difficile. Il existe encore des types de disposition beaucoup plus complexes comme par exemple la *sextine* d'Arnaut Daniel (P. Bec, anth. cit., n° 34) ou, en français, la pièce de Gace Brulé, *De bone amor et de leial amie* (*Poèmes d'amour,* anth. cit., p. 36-40). La *canso* se termine par un envoi (ou *tornada*) qui reprend les rimes de la fin de la dernière strophe. Chaque *canso* doit présenter un schéma métrique, une disposition de rimes et une mélodie uniques. On appelle *contrafactures* des pièces qui réutilisent les caractéristiques d'une chanson en en transposant le contenu.

Les troubadours distinguent trois sortes de style : — le *trobar leu* ou *plan* qui, tout en témoignant d'une grande virtuosité, se veut poésie relativement facile et accessible et qu'ont illustré par exemple Jaufré Rudel, Bernard de Ventadour et Giraut de Borneilh ; — le *trobar leu* s'oppose, dans la réflexion théorique comme dans la pratique des troubadours, au *trobar clus* (fermé) qui revendique un certain degré d'obscurité, d'hermétisme et dont le maître et le théoricien est Raimbaut d'Orange ; — enfin le *trobar ric,* où a excellé Arnaut Daniel, se caractérise par la recherche systématique de rimes, de mots rares, d'assonances, d'allitérations, etc. D'une manière générale la poésie des troubadours est une poésie difficile, écrite dans une langue très codée, très allusive, et dont le sens, sinon déjà l'interprétation littérale, fait souvent difficulté.

La monotonie thématique des *cansos* qui reprennent indéfiniment un même sujet, la requête d'amour, et une même situation, un *je* (l'amant/poète) s'adressant à une dame muette, a longtemps dérouté les lecteurs modernes habitués à trouver dans la poésie lyrique l'expression originale de sentiments présentés comme personnels. Or, comme l'ont montré P. Guiette, P. Zumthor, R. Dragonetti, cette poésie est d'abord une poésie formelle. Elle suppose de la part du troubadour la (re)connaissance d'un code, d'une tradition qu'il reprend et réactualise. Le poète ne cherche pas la *novelté* (nouveauté) du chant : il cherche, selon une formule qu'utilisent souvent les trouvères *(mon chant vueil renoveler),* à renouveler des motifs hérités. Sa voix propre, son « style », ce sont les variations qu'il apporte au matériau traditionnel.

Dans cette perspective, la sincérité, la loyauté que revendiquent troubadours et trouvères, le statut de *fin amant* qu'ils s'attribuent, renvoient moins, peut-être, à une quelconque fidélité sentimentale à la dame qu'ils ne disent l'adhésion fervente et exclusive du poète aux exigences éthiques et esthétiques de la *fin'amor.*

Origines

Les origines formelles et musicales de la lyrique occitane, la genèse de la doctrine courtoise restent des questions obscures et très controversées.

La thèse de Gaston Paris, qui reliait le lyrisme occitan au lyrisme « populaire » des chansons de danse printanières et notamment des chansons célébrant les fêtes de Mai, ne rend guère compte du caractère très élaboré et du ton résolument aristocratique et élitiste de la poésie des troubadours. Il est tout aussi difficile d'établir des liens étroits entre la poésie médio-latine de cour, qui connaît au reste un brillant développement au XIe siècle, et la poésie occitane. Cette poésie de clercs lettrés, très savante, non chantée, célèbre sans doute les vertus et les mérites de dames nobles appartenant aux milieux courtois. Mais elle diffère profondément dans sa technique, son ton, son inspiration, du lyrisme occitan.

La thèse liturgique ou paraliturgique rapproche les mélodies des troubadours des chants liturgiques en latin que sont les *tropes* ou *versus* et rappelle l'importance et l'activité musicale, au XIe siècle, de l'abbaye de Saint-Martial de Limoges, en plein domaine limousin. Les tenants de l'hypothèse hispano-arabe supposent, non sans vraisemblance, des contacts et des échanges, par l'intermédiaire de l'Espagne, entre monde roman et monde islamique. Les analogies relevées entre la *fin'amor* et l'amour idéalisé, l'*amour odhrite,* célébré par les poètes arabes d'Espagne dès le début du XIe siècle sont peu convaincantes. On a fait plus justement état de ressemblances entre la strophe « zadjalesque » utilisée par les poètes arabes d'Andalousie et les formes strophiques des premiers troubadours.

La thèse d'Erich Köhler enfin met en relation le développement de l'idéologie courtoise et la situation socio-économique de la noblesse à la fin du XIe et au début du XIIe siècle, les tensions qui se créent alors entre ses différentes strates. Se sentant économiquement menacée, la petite noblesse aurait « inventé », avec la *fin'amor,* une morale et un comportement de classe qui, excluant le monde des *vilains,* rejetant la morale et la culture cléricales, proposerait à l'ensemble de l'aristocratie un idéal commun. Cette thèse souligne justement le caractère aristocratique et élitiste de la doctrine courtoise et des valeurs qui l'informent. Elle met l'accent sur la dimension résolument « profane » de la *fin'amor.* Elle ne permet guère de rendre compte du fait poétique lui-même.

Le culte de l'amour humain sous la forme sublimée de la *fin'amor* est sans doute l'une des manifestations les plus achevées de l'idéologie chevaleresque, sa réponse, très contestataire, à la morale et aux valeurs cléricales. Mais tout ce que nous savons de la réalité historique contemporaine, des contraintes notamment qui pèsent alors sur la sexualité, sur le mariage des nobles (et des femmes nobles), interdit d'y voir autre chose qu'un jeu, qu'un divertissement littéraire et mondain, sans grande influence immédiate sur les pratiques. Reste que, même si l'écart demeure considérable entre l'idéologie courtoise et les comportements, le succès et la diffusion très rapides de la lyrique occitane dans l'Europe médiévale, le relais que lui fut aussi le roman dit « courtois » montre combien cette doctrine exigeante a su s'attacher et informer durablement un milieu, un public dont elle exprimait sans doute les aspirations latentes.

Les voix multiples du lyrisme

Le « grand chant » courtois

Dans les dernières décennies du XIIe siècle, des poètes — dont certains semblent liés à la cour de Marie de Champagne —, Chrétien de Troyes, le plus ancien trouvère connu, Gautier de Dargies, Blondel de Nesle, Gace Brulé, le Châtelain de Coucy et Conon, seigneur de Béthune, ont transposé en langue d'oïl les structures formelles et les motifs de la *canso.* Au début du XIIIe siècle, Thibaut IV, comte de Champagne, roi de Navarre, est le poète le plus représentatif et le plus admiré de la seconde génération de trouvères. Dans la seconde moitié du siècle, Adam de la Halle perpétue encore avec éclat le genre de la chanson et du « congé » d'amour.

La chanson d'amour, les *grans chans* selon la terminologie du chansonnier d'Oxford, reste pour les trouvères la forme souveraine mais sa technique poétique est dans l'ensemble plus simple que celle de son modèle et, sous la stabilité et l'homogénéité apparentes des motifs, l'expression de l'amour et l'évocation de la dame varient sensiblement d'un trouvère à l'autre. À la sensualité tendre des chansons douces du Châtelain de Coucy, aux poèmes vivifiés par le réalisme du style et l'âpreté du ton de Conon de Béthune, s'oppose la poésie austère et tendue de Gautier de Dargies. Les modèles de Gace Brulé sont bien Jaufré Rudel et Bernard de Ventadour, mais la douleur et non le *joi* caractérise une poésie très élaborée, qui chante moins une dame qu'Amour, maître de l'écriture, et les tourments exquis de la création poétique. Épris, comme Gace, de perfection formelle, Thibaut de Champagne cède parfois aux tentations du raisonnement et d'une dialectique un peu compassée ; mais le roi de Navarre dont ses contemporains ont fait le prince des poètes sait aussi renouveler les motifs lyriques en incarnant son obsession de la mort, sa hantise de la passion dans les figures symboliques des Bestiaires (le rossignol, le phénix, la licorne) ou des amoureux mythiques (Pyrame, Narcisse, Tristan).

Cependant, bien des chansons de trouvères, attribuées ou plus souvent anonymes (y a-t-il un lien de cause à effet ?), chantent un amour plus facile, plus spontané : le diminutif *amourettes* y vient relayer *Amor* ; le poète s'y représente comme *gai, joli* et *envoisié* (ouvert aux multiples plaisirs des sens) et souvent des refrains viennent rompre et alléger le rythme et le développement de la ligne thématique et mélodique.

Inclassable, l'œuvre de Colin Muset rend compte de cette diversité du grand chant courtois. Elle substitue parfois *(Sire cuens, j'ai vielé dans vostre ostel...)* la requête d'argent à la requête d'amour, mais elle exalte aussi les valeurs et les mœurs courtoises et l'amour ébloui pour la jeune fille radieuse, entrevue au verger, et qui pourrait bien être une fée...

Les « échos de la chanson »

On regroupera sous cette expression reprise à P. Zumthor (*Essai,* p. 244) des formes lyriques qui adaptent à une thématique autre les structures de la chanson.

Peu représenté en français, le *sirventés* occitan traite de sujets politiques (tels les sirventés guerriers de Bertran de Born), moraux et/ou satiriques (l'œuvre de Peire Cardenal). On peut y rattacher le *planh,* complainte funèbre sur la mort d'un grand personnage.

La *chanson de croisade,* occitane et française, peut être une chanson d'amour déguisée : le départ pour la croisade sert alors de prétexte à la requête d'amour (chansons de croisade du Châtelain de Coucy), mais elle est aussi l'écho vibrant des événements historiques ou vient relayer, à l'intention de la classe chevaleresques, l'appel des prédicateurs (Chant de croisade de Marcabru).

La *poésie mariale,* qui se développe surtout au XIIIe siècle français et occitan, substitue au culte de la dame la célébration de la Vierge Mère. Les chansons à la Vierge de Gautier de Coincy allient de façon parfois étrange l'expression d'une ferveur exaltée à de vertigineux jeux de rimes et de mots. Quelques pièces de Guillaume le Vinier et plusieurs pièces anonymes introduisent dans la lyrique française les structures, les rythmes et les motifs mystiques de l'hymnologie mariale.

À la sublimation de la *fin'amor* en amour de Dieu ou de la Vierge que proposent ces formes, « répond » ce que P. Bec a dénommé le contre-texte troubadouresque : des pièces qui reprennent la veine obscène déjà bien présente chez Guillaume IX et qui parodient sur le mode burlesque les motifs de la poésie amoureuse. Procédés et inspiration qui se retrouvent vers la fin du XIIIe siècle et dans la France du Nord dans les *sottes chansons.*

La *tenso* occitane (ancien français *tenson*), le *partimen* ou *joc-partit* et son équivalent français le *jeu-parti* sont des formes dialoguées dans lesquelles deux poètes opposent leur point de vue sur un sujet donné. Un grand nombre de ces pièces traitent, sous la forme du débat, de points de casuistique amoureuse. Elles participent ainsi, en marge du lyrisme courtois, au désir de rationaliser et de théoriser le sentiment amoureux, d'énoncer des modèles de comportement et des situations types, qui anime également le *De amore* d'André le Chapelain. Les contraintes formelles qui règlent strictement (dans le jeu-parti du moins) un débat se donnant comme improvisé permettent aussi aux poètes de montrer leur virtuosité. Ces pièces sont enfin le lieu où troubadours et trouvères, se faisant les théoriciens de leur art, posent des problèmes de « poétique », problèmes que reprendra d'ensemble, au XIVe siècle, cette « grammaire » de l'occitan littéraire que sont les *Leys d'Amor*.

Voix de femmes

Une vingtaine de poésies occitanes sont attribuées par les manuscrits à des femmes, les *trobairitz,* dont la plus célèbre est la comtesse de Die. Émanant d'une voix féminine (ou présentée comme telle), ces pièces, dont certaines chantent passionnément un amour perdu, reprennent cependant sans bouleversement essentiel les motifs et l'idéologie de la *fin'amor*.

D'autres formes poétiques, connues de la lyrique occitane mais mieux représentées en français, ont comme caractéristiques communes de faire entendre une voix féminine (mais prise en charge par une écriture masculine) et d'associer au lyrisme des séquences narratives elles-mêmes très codées. On distingue ainsi :

— Les *chansons de toile* dans lesquelles l'élément lyrique est assuré par le refrain. Inconnues en langue d'oc, elles rappellent par leur facture (des strophes brèves, assonancées ou rimées) et par leur mètre (le plus souvent le décasyllabe) la forme de la chanson de geste. La strophe initiale représente une jeune femme noble occupée à des travaux d'aiguille (mais *Belle Doette* lit *dans* un livre). Les strophes suivantes évoquent plus ou moins rapidement les amours contrariées de l'héroïne.

— Les *chansons d'aube* qui sont généralement mais non exclusivement des chansons de femme. Elles décrivent le réveil de deux amants surpris par le lever du jour et le cri du guetteur, et leur douleur à se séparer.

— Les *pastourelles* qui évoquent la rencontre, dans l'espace ouvert de la prairie, entre un chevalier séducteur et une bergère parfois facile, toujours habile et rusée, puis la joute langagière et/ou érotique qui s'engage. Mais la pastourelle peut aussi décrire, du point de vue du chevalier-poète, les plaisirs et les jeux des bergers et des bergères.

Les pastourelles — certaines ont été composées par de grands noms du lyrisme courtois — disent sans doute, en contrepoint de la *fin'amor,* le rêve masculin de rencontres amoureuses libérées de toutes contraintes, d'un désir qui puisse enfin se satisfaire. Plus nettement encore que les chansons de toile, elles mettent aussi en scène des femmes « au travail », qui sont proches des forces de production et de reproduction (la bergère filant la laine est inséparable de ses moutons), et qui entendent s'unir librement à celui, chevalier ou berger, qu'elles ont choisi.

L'avènement du roman : 1150-1200

Définitions

La langue médiévale ne dispose pas d'un terme spécifique pour qualifier le récit de fiction. En ancien français, *roman* désigne très généralement la langue vulgaire, par opposition au latin (voir p. 58). À partir de 1150, l'expression « mettre en roman » apparaît dans des récits qui adaptent plus ou moins librement des textes-sources en latin. « Mettre en roman » renvoie donc à la fois au choix d'une langue, le français, et à une pratique, la « translation », terme médiéval qui rend mieux compte que celui de traduction des caractères spécifiques de ces adaptations. Lorsque Chrétien de Troyes dans le prologue du *Chevalier de la Charrette* substitue à « mettre en roman » l'expression « faire/entreprendre un roman », il insiste sans doute sur son activité créatrice, mais « roman » conserve la encore et pour longtemps son sens usuel de « récit composé en français ».

À l'exception, importante, des différentes versions du *Roman d'Alexandre* écrites en laisses épiques, le roman au XIIe siècle est écrit en couplet d'octosyllabes à rimes plates (*aa, bb, cc,* etc.). Cette forme, qui lui préexiste, ne lui est pas spécifique : elle est commune à l'ensemble de la littérature narrative, didactique, (Computs, Bestiaires, de Philippe de Thaun, notamment), hagiographique (le *Voyage de saint Brendan* par exemple), historique. À partir du XIIIe siècle, avec l'apparition de la prose littéraire, romans en vers et romans en prose coexistent.

Par opposition à la chanson de geste et à la poésie lyrique, le roman est un texte destiné à la lecture (à haute voix, devant un public choisi, voir p. 56), et non au chant et dont le livre manuscrit est le support. Les prologues d'autre part insistent souvent sur le travail d'écriture, le faire et le savoir-faire dont le texte est le produit. Ils donnent très généralement le nom de l'écrivain, qui est aussi l'instance énonciative qui prend en charge le récit, et parfois le titre de l'œuvre. Le roman revendique ainsi pleinement son statut de texte écrit et fixé par l'écrit.

Le premier texte considéré comme roman est l'*Alexandre* d'Alberic de Pisançon (premier tiers du XIIe siècle). Le fragment qui nous en reste (cent cinq octosyllabes groupés en laisses monorimes) raconte le début de l'histoire d'Alexandre. À partir de 1150 apparaissent presque simultanément les romans dits « antiques » ou « d'antiquité » (romans de *Thèbes, Énéas, Troie,* roman d'*Alexandre*) et des chroniques en langue vulgaire qui évoquent le passé plus ou moins récent de l'Angleterre : *Estoire des Engleis* de Gaimar, *Romans de Brut* et de *Rou* de Wace, *Chronique des ducs de Normandie* de Benoît de Sainte-Maure, etc. Récits romanesques et chroniques ont en commun la volonté de consigner par l'écrit et pour la postérité un passé considéré comme exemplaire et dont il importe de conserver le souvenir : la « mise en roman » est d'abord une mise en mémoire (en *remembrance*) du passé dont les instruments sont l'écriture et, déjà sous son aspect matériel, le livre.

Elle est aussi diffusion d'un savoir qui est lui-même porteur d'une sagesse. L'*Alexandre* d'Albéric commence par une citation de l'*Ecclésiaste* rappelant la vanité de toutes choses, mais le texte perdure pour conjurer une « vanité » qui a atteint de plein fouet les entreprises héroïques d'Alexandre. *Thèbes, Troie* et plus tard les *Lais* de Marie de France s'ouvrent sur la référence à la sagesse des Anciens (Salomon, Platon, Homère, etc) et rappellent en leitmotiv que *qui sages est nel doit celer* (*Thèbes,* v. 1) : qui est sage et possède un savoir ne doit pas le cacher mais le diffuser et faire fructifier le « talent » que Dieu lui a donné. La relation ambitieuse que l'écrivain en roman établit entre les sages antiques et lui-même prend en effet appui sur sa situation « historique » : éclairé par les lumières de la révélation chrétienne, l'écrivain est capable de « gloser la lettre » (le texte latin hérité, translaté) et de l'interpréter de manière décisive, de lui donner un « surplus de sens » (Marie de France, prologue des *Lais*). Et c'est dans l'espace où il écrit, la chrétienté occidentale, que viennent converger au terme d'un transfert séculaire et peut-être se fixer (comme Chrétien de Troyes en exprime le souhait dans le prologue du *Cligès*) la *chevalerie* et la *clergie* jadis « inventées » par la nation troyenne.

Benoît de Sainte-Maure et, à sa suite, la plupart des romanciers insistent également sur le plaisir que doit procurer le texte, composé pour l'instruction et le divertissement du public laïc. Mais les prologues de roman sont aussi bien souvent le lieu d'une réflexion sur l'écriture romanesque, son rapport à sa source, et sur le travail et l'activité créatrice de leurs auteurs.

Au début du XIIIe siècle, Jean Bodel distingue *(Chanson des Saisnes,* v. 6-11) trois « matières » offertes au choix de l'écrivain : la « matière de France », c'est-à-dire les sujets épiques, la matière de « Rome la grant », les sujets antiques dont il souligne le caractère didactique, et les « contes de Bretagne » qualifiés de « vains et plaisants ». La distinction qu'établit Jean Bodel entre sujets antiques et sujets bretons masque une continuité qu'établissent les romans eux-mêmes : Brutus et la nation bretonne sont dans la fiction romanesque (et dans la conscience historique médiévale) les descendants des Troyens et d'Énée... Elle isole cependant avec pertinence les deux principales sources de l'inspiration romanesque au XIIe siècle et surtout deux formes d'écriture assez différentes.

Les romans antiques

L'espace Plantagenêt et la naissance du roman

Entre 1150-1155 et dans les domaines continentaux d'Aliénor d'Aquitaine sont composés une chronique, le *Brut* de Wace, et le *Roman de Thèbes.* Le *Brut* introduit en langue vulgaire la « matière de Bretagne » et son héros emblématique, Arthur. *Thèbes* est le premier représentant d'une importante production romanesque qui met en roman les mythes fondateurs de l'Antiquité, l'histoire d'Œdipe, la guerre de Troie *(Roman de Troie),* les aventures d'Énée et la conquête de l'Italie *(Roman d'Énéas).* Sont également composés dans ce même milieu et pour le même public des récits brefs inspirés d'Ovide, *Pyrame et Thisbé, Lai de Narcissus* et les différentes versions du *Roman d'Alexandre.* On peut donc estimer avec C. de Boer (édition de *Pyrame et Thisbé,* C.F.M.A., p. XI) qu'il y a eu « vers le milieu du XIIe siècle, dans l'Ouest de la France, une véritable école d'imitation de l'Antiquité » qui s'est constituée grâce au mécénat d'Aliénor mais aussi, sans doute, d'Henri II.

La « trilogie » antique : les romans de *Thèbes, Énéas, Troie*

Le *Roman de Thèbes,* qui s'inspire de la *Thébaïde* de Stace mais en en modifiant la matière et les intentions, ajoute déjà à sa source un bref résumé de l'histoire d'Œdipe puis conte en dix mille vers environ les luttes fratricides d'Étéocle et Polynice pour la possession de Thèbes et le siège de la ville : s'opposent à Étéocle et aux Thébains les Argiens et leur roi Adraste, alliés de Polynice. Les deux fils d'Œdipe s'entretuent et c'est leur oncle Créon qui devient roi de Thèbes. La mort des deux frères, leur échec à conserver la ville/le pouvoir et à fonder une lignée sont explicitement mis en relation, au terme du récit, avec la faute d'Œdipe, parricide et incestueux.

Par l'importance donnée aux récits de combats, par certains aspects de son style, le *Roman de Thèbes* reste parfois proche de la chanson de geste. Mais il inaugure aussi des procédés d'écriture et des thèmes qui fondent véritablement le genre romanesque. L'auteur est un clerc rompu au maniement des procédés et figures de la rhétorique latine qu'il transpose en langue vulgaire. *Thèbes* est d'autre part le premier texte médiéval qui lie l'exploit guerrier et l'amour : c'est une alliance qui devient après lui un élément constitutif du roman médiéval. Mais les couples que forment Athon et Ismène, Antigone et Parthonopeus sont condamnés par la guerre et la fatalité. La narration est enfin suspendue par de longues et savantes descriptions : portraits (d'Antigone, par exemple), descriptions d'objets (tente du roi Adraste, char de « l'archevêque » Amphiaraüs, etc.), qui ont été autant de modèles d'écriture. Outre leur fonction ornementale, ces descriptions ont une visée didactique : à travers elles, le clerc propose à son public aussi bien des connaissances scientifiques (la mappemonde figurée sur la tente d'Adraste) que des modèles de beauté féminine, d'habillement, de comportement, voire de conduite politique (procès de Daire le traître).

L'auteur anonyme de l'*Énéas* (vers 1155), reproduit assez fidèlement la substance et la trame narrative de l'*Énéide* mais avec d'importants déplacements. Le rappel du jugement de Pâris qui a choisi, avec Vénus, l'amour et le pouvoir ambigu qu'il donne sur le monde en lieu et place de la richesse (Junon) et de la prouesse (Pallas) vient signifier la « faute originelle » de Troie et les raisons lointaines de sa chute. La narration ne s'écarte guère ensuite de son modèle, relatant le séjour d'Énée à Carthage, l'amour et le suicide de Didon, la descente initiatique du héros aux enfers puis les guerres qui le rendent maître de la Lombardie. Mais sur les dix mille vers du récit, deux mille sont consacrés aux amours de Lavinia et d'Énée, motif absent de l'*Énéide.* Par son dénouement heureux, cet épisode, qui s'oppose à celui des amours de Didon, montre surtout que seul l'amour réciproque et autorisé par les dieux et par le consentement du père (du roi Latin, mais aussi d'Anchise) peut garantir le développement harmonieux d'un lignage appelé à fonder, en lieu et place de Troie, une ville éternelle : la Rome impériale, « préfiguration » de la Rome chrétienne.

Comme l'auteur de *Thèbes,* l'auteur de l'*Énéas* multiplie les descriptions. La visée didactique est cependant moins nette. Sans doute la description de Carthage, ville qui évoque les splendeurs fabuleuses des cités orientales, propose-t-elle l'image d'une ville modèle par sa puissance guerrière, sa beauté, la juste répartition des pouvoirs. Mais des descriptions comme celle de l'amazone Camille, de son palefroi, de son tombeau (ou de celui de Pallas) sont autant de digressions somptueuses dans lesquelles l'écrivain cède au vertige de l'invention langagière. L'amour de Didon pour Énée, les amours de Lavinia et du héros sont enfin l'occasion de déployer un discours amoureux à peine esquissé dans *Thèbes.* C'est à Ovide que le clerc doit sa conception d'un amour maladie qui ne laisse à ses victimes d'autre issue que la jouissance ou la mort et ses longues descriptions des tourments de l'amour. Mais la description est souvent « doublée » par la prise de parole des héroïnes (et finalement d'Énée) : monologues, dialogues avec soi-même, avec l'autre, qui sont autant d'interrogations sur la nature et les effets de l'amour et qui ont été pour des générations d'écrivains et de lecteurs médiévaux des modèles d'introspection et d'analyse psychologique.

Le *Roman de Troie* du clerc poitevin Benoît de Sainte-Maure (vers 1160) dilate en plus de trente mille vers la donnée initiale de l'*Énéas,* le siège et la prise de Troie, à partir d'une source latine très sommaire : le *De excidio Trojae* de Darès, texte en qui le Moyen Âge a cru lire une relation authentique de la guerre de Troie. Le récit s'ouvre avec l'expédition des Argonautes — première incursion grecque en terre troyenne — et les amours de Médée et de Jason puis relate les vingt-trois batailles où meurent tour à tour les fils et les alliés de Priam. Il se poursuit au-delà de la prise de la ville avec les « retours » tragiques des principaux chefs grecs et s'achève sur la mort d'Ulysse. Le *Roman de Troie* est ainsi le premier témoin d'un mode d'écriture romanesque qui se développe pleinement au XIIIe siècle et dont l'enjeu est de configurer un temps narratif clos, de dire la « faute originelle » (ici le rapt de Médée et de la Toison d'Or, puis le rapt d'Hélène), qui engendre le récit et l'oriente puis d'en suivre et d'en saisir le devenir dans sa complexité et sa totalité.

Aux combats qui retrouvent la tonalité sinon le style de la chanson de geste, aux longues délibérations qui soulignent ironiquement l'incapacité des hommes à maîtriser le destin s'entrelacent de nombreux épisodes sentimentaux. Les couples que reprend ou que crée Benoît — Jason et Médée, Pâris et Hélène, Briséida tour à tour amante du fils de Priam, Troïlus, puis de Diomède, Achille et Polyxène enfin — projettent dans la sphère érotique l'impossible alliance de la Grèce et de Troie. Comme la ville, ils sont condamnés, victimes de la mort, de la trahison, de l'inconstance, et le rêve d'Achille — épouser Polyxène, la fille de Priam pour laquelle il se meurt d'amour, engendrer la lignée qui perpétuerait à la fois la beauté troyenne et la prouesse grecque — est anéanti par la ruse d'Hécube et la traîtrise de Pâris.

Benoît exploite jusqu'à leur point de rupture les motifs et procédés mis au point par ses prédécesseurs. La multiplication des portraits, des descriptions (descriptions de villes, d'objets précieux, d'automates, de tombeaux, etc.) témoigne de sa volonté de rivaliser avec les auteurs de

Thèbes et de l'*Énéas* en même temps qu'elle redouble et perpétue le geste créateur de Priam et des artistes troyens. Le discours amoureux s'essaie tour à tour à décrire l'impatience de Médée, le désir comblé de Pâris et d'Hélène, l'inconstance de Briséida, l'angoisse mortelle d'Achille. Dans une langue systématiquement répétitive, à laquelle les reprises, les anaphores, l'emploi constant des groupements binaires de synonymes donnent sa somptueuse lenteur et son rythme incantatoire, Benoît revient une ultime fois sur la question qui hante et informe la trilogie antique : comment et sur quelles valeurs fonder la ville, la lignée, la civilisation qui s'assureront la maîtrise du monde si Troie, « mère des arts, des armes et des lois » a été détruite par la perfidie des Grecs et la volonté des dieux ?

Le *Roman d'Alexandre*

On réunit sous le titre de *Roman d'Alexandre* un ensemble complexe de versions (ou *branches*) qui s'est constitué par remaniements successifs à partir du récit d'Alberic de Pisançon. Un premier remaniement est l'*Alexandre* décasyllabique, composé en Poitou vers 1160-1165 et qui reprend le récit des enfances et des premiers exploits du héros. Après 1180, cet ensemble fut refondu et réécrit en laisses de dodécasyllabes (les futurs vers alexandrins) par Alexandre de Paris.

Les sources de ces différents récits sont moins des textes historiques que des traditions légendaires essentiellement transmises par un roman grec du IIe siècle av. J.-C., le *pseudo-Callisthène* et ses dérivés latins.

Divisé en quatre branches, le récit d'Alexandre de Paris (environ 16 000 vers) raconte à son tour les enfances du héros puis ses conquêtes et notamment l'expédition contre Darius et les Perses. Mais Alexandre est aussi l'élève d'Aristote. Sa curiosité scientifique, les explorations qu'il entreprend en Asie comme dans les profondeurs du ciel et de la mer, les terres inconnues où il s'engage, les royaumes qu'il conquiert, sont autant de prétextes à des descriptions à visées scientifiques et didactiques qu'à des développements nourris sur l'exercice du pouvoir (d'abord fondé sur la vertu de largesse). L'expédition en Orient puis en Inde permet d'évoquer un univers riche en merveilles et en tentations diverses, différent et déroutant, peuplé aussi bien de monstres humains et d'animaux redoutables que des trop séduisantes « pucelles de l'eau » ou des filles-fleurs. Alexandre s'y essaie en vain à percer le mystère des origines ou à déjouer la mort (épisode de la *Fontaine de Jouvence*) et ne parviendra à s'en échapper que grâce à son esprit de sacrifice et sa magnifique générosité (épisode du *Val sans Retour*).

Miroir du monde, miroir du prince, le *Roman d'Alexandre* met en scène un héros condamné, comme les héros thébains et troyens, mais avec qui se forge l'image d'un « chevalier » exceptionnel et d'un roi vertueux bien que païen, d'un homme qui a tenté de ravir à l'Orient ses trésors mais aussi les mystères d'un monde différent et d'une sagesse autre.

On a souvent considéré les romans antiques comme des œuvres formant une transition encore maladroite entre la chanson de geste et les romans de Chrétien de Troyes. Les romans antiques ont pourtant imposé à l'imaginaire médiéval des héros qui, parce qu'ils sont reçus comme historiques, peuvent rivaliser en prestige avec les héros des vies de saints ou de la chanson de geste, des personnages qui, bien que païens, sont à plus d'un titre exemplaires. Ils ont également fait une place de plus en plus importante à la peinture de l'amour et à la rhétorique amoureuse. Enfin, ils abordent de front l'un des problèmes majeurs du roman : la création d'une durée, d'une temporalité propres. Au rythme discontinu de l'écriture épique, sélectionnant certains moments clés, ils substituent une durée continue, organisée et close, qui suit le devenir, la biographie d'un héros, d'une ville, d'une race. Quant aux procédés divers par lesquels se constitue cette durée, descriptions, discours, monologues, dialogues, etc., ils sont aussi le moyen de proposer au public courtois, à travers une Antiquité idéale et idéalisée, un nouveau modèle de civilisation et de culture.

Avec le roman antique naît le héros preux *et* courtois, le chevalier qui, pour prétendre au statut de héros, doit, comme Énée au terme de ses aventures, se qualifier au double plan de la prouesse et de l'amour et obtenir ainsi le pouvoir et la maîtrise du monde.

Tristan et Iseut

Les amours légendaires de Tristan et d'Iseut ont fait l'objet au XIIe siècle de plusieurs mises en œuvre littéraires. Certaines sont perdues comme le *Conte del roi Marc et d'Iseut la Blonde* que Chrétien cite dans la liste de ses œuvres au début du *Cligès.* Des versions complètes composées par Thomas et par Béroul, il ne nous reste que des fragments. Ont été conservés trois récits brefs, les *Folies* de Berne, d'Oxford et le *Lai du chèvrefeuille* de Marie de France. La version complète, en moyen haut allemand, qu'a achevée vers 1170 Eilhart d'Oberg suppose l'existence, en français, d'un récit perdu, lui aussi complet, peut-être analogue à l'*estoire* que Béroul cite également comme sa source.

Contrairement à ce que peuvent faire croire les « reconstitutions » proposées par J. Bédier puis par R. Louis, la matière du *Tristan* telle qu'elle nous a été transmise pour le XIIe siècle n'est pas fixée/figée en un texte unique. Elle se diffracte en une pluralité de récits, de traditions, d'allusions littéraires (celles des troubadours par exemple), de témoins iconographiques et autres qui montrent quelle fascination elle a exercée sur l'imaginaire médiéval et qui sont autant de réécritures et de « retours » sur le problème et le scandale qu'est le « sujet » du *Tristan* : l'histoire tragique d'un couple contraint à un amour coupable et reconnaissant son impuissance à maîtriser les pulsions du désir (le philtre).

La genèse et la diffusion de la légende restent assez obscures. Le *Tristan* reprend une donnée archétypale, présente sans doute dans toutes les civilisations. On a pu établir (P. Gallais) des rapprochements assez précis entre le récit français et le roman persan de *Wis et Ramin.* Mais les liens restent incontestables entre la légende de Tristan et la « matière de Bretagne ». On a en effet relevé des analogies frappantes entre le *Tristan* et certaines *sagas* irlandaises (par exemple, la *saga* de Diarmaid et Grainne), tandis que de brefs textes gallois (les *triades*) citent et lient Tristan, Iseut, Marc et Arthur. Les récits enfin se déroulent dans l'espace celte (Cornouailles anglaise, où s'élève Tintagel, le château de Marc, Bretagne française, Angleterre de

Thomas, etc.) et l'on peut supposer que c'est en Cornouailles anglaise que s'est élaborée la majeure partie de la légende.

Les récits français, les adaptations étrangères qui en dérivent se répartissent en deux groupes. Le fragment de Béroul, la *Folie* de Berne et le récit d'Eilhart suivent sans doute une version assez proche de l'*estoire,* c'est-à-dire d'une sorte de *vulgate* du *Tristan* qui devait circuler vers 1150 au plus tard. Cette vulgate a été profondément remaniée par Thomas et les récits qui s'en inspirent : la *Folie* d'Oxford, l'adaptation en moyen haut allemand de Gottfried de Strasbourg, la *saga* en prose norroise de Frère Robert. Au XIIIe siècle, le *Tristan en prose* qui reprend d'ensemble la matière du *Tristan* s'inspire des récits français mais son modèle le plus important est le *Lancelot en prose.*

Le fragment de Béroul (4500 vers environ) découpe dans la trame narrative des séquences qui correspondent aux moments clés de l'histoire des amants. L'unité de l'ensemble est assurée par la présence insistante du narrateur qui commente les faits pour son public et en oriente la signification. Béroul se range du côté des amants : il déplore leurs tourments, mais aussi l'amour qui les lie.

Son récit en effet n'est pas une exaltation de la passion mais une interrogation inquiète sur la place de l'amour, du désir dans la société. Garant de l'ordre féodal et moral, Marc, surveillé par ses barons (et leur âme damnée, le nain), ne peut que punir l'adultère, contraindre Iseut à se disculper même s'il aime sa femme et son neveu. L'ermite Ogrin, qui connaît pourtant le secret du philtre, préfère mentir plutôt que de consentir au scandale qu'est l'exil du couple dans la forêt du Morois. Les amants eux-mêmes, réfugiés dans la forêt qui est aussi bien l'espace des souffrances physiques que de l'amour comblé, vivent dans l'angoisse que s'affaiblisse le désir de l'autre et consentent au retour à la cour (dans l'espace social) dès que le philtre leur en laisse la possibilité. L'épisode du serment ambigu marque sans doute le triomphe des amants (d'Iseut surtout), mais ce triomphe se fonde sur une série convergente d'impostures : manipulation du langage juridique et érotique, déguisement de Tristan en lépreux, puis en bête de somme, etc., tandis que le fragment s'interrompt sur le meurtre atroce des barons hostiles. Dieu enfin, souvent sollicité, fait des miracles ambigus (le saut de la chapelle) ou se tait (épisode de l'*escondit* d'Iseut). Seuls Arthur et sa cour, qui prennent le parti d'Iseut, représentent peut-être un autre modèle de société, le monde « courtois », capable d'intégrer les forces vives du désir.

Les fragments (un peu plus de 3 000 vers) qui nous restent du récit de Thomas (vers 1175) privilégient l'analyse du sentiment amoureux, l'introspection, la plainte lyrique. L'action, très réduite, y est étroitement subordonnée aux pulsions affectives des personnages. C'est en ce sens que l'on peut qualifier de courtois, voire de lyrique (J.-Ch. Payen) un texte qui est souvent, comme la lyrique occitane, méditation douloureuse sur la nature de l'amour, ses joies et surtout ses douleurs. Il est cependant difficile de voir dans la version de Thomas, avec J. Bédier et surtout J. Frappier, une glorification concertée de la *fin'amor* conçue et vécue comme une religion de l'amour.

Par rapport à Béroul, Thomas donne à ses héros, à leur cadre de vie, une dimension « courtoise ». Il évacue par exemple des épisodes particulièrement réalistes comme celui d'Iseut livrée aux lépreux, insiste sur les talents de harpeur de Tristan (et d'Iseut), décrit le faste du cortège de la reine ou les merveilleuses statues de la Salle aux Images. Mais les longs monologues du héros, relayés par les interventions du narrateur dans le fragment du mariage, insistent à loisir sur la quête de jouissance, le désir de changement (de *novelté*), les tourments de la jalousie et de la convoitise sexuelle qui sont, pour Thomas le clerc, les composants de l'amour humain dès lors que l'amour *fin'e veraie,* telle que l'a jadis vécue le couple (premier séjour du héros en Irlande), tombe, avec le philtre, dans l'univers de la chair/de la faute.

Destiné à tous les amants, quelle que soit la manière dont ils vivent l'amour, le récit de Thomas, tel que le définit l'épilogue, se veut d'abord réconfort contre les souffrances qu'engendre l'amour, texte exemplaire où l'on apprend à fuir les pièges et les ruses (les *engins*) du désir.

Une même structure fondée sur le déroulement de la vie du héros (saisie de sa naissance à sa mort) donne sa durée propre et organise les récits de Thomas et de Béroul. Partant d'une donnée commune — Tristan, séparé d'Iseut, simule la folie pour revenir en Cornouailles et revoir la reine — les *Folies* substituent à un récit linéaire l'évocation discontinue d'instants privilégiés, l'ordre du discours n'obéissant ici qu'aux retours compulsifs du souvenir érotique.

Le *Lai du chèvrefeuille* conte lui aussi un retour du héros auprès d'Iseut et une brève rencontre du couple. Le bâton de coudrier où s'enlace le chèvrefeuille, où Tristan grave son nom, est le médiateur de cette rencontre. Il est aussi métaphore concrète de l'amour qui unit Tristan et Iseut, le signe sensible du rêve fou que le texte enserre dans le réseau du vers, l'exacte symbiose des cœurs et des corps : « *Bele amie, si est de nus/ ne vus sanz moi, ne jeo sanz vus.* (v. 77-78, éd. Rychner).

Les Lais *de Marie de France*

Nous avons conservé sous le nom de Marie, une femme écrivain vraisemblablement liée au milieu Plantagenêt (voir p. 20), mais originaire de France (*Marie ai num, si sui de France* précise-t-elle dans l'épilogue de ses *Fables*), trois œuvres d'inspiration très différente : un recueil de *Fables* (vers 1180) qui est la première adaptation en français des fables ésopiques, un récit, l'*Espurgatoire saint Patrice* (voir p. 35), qui se rattache à la tradition des voyages dans l'au-delà (après 1189) et un recueil de récits brefs que l'écrivain appelle *contes* mais aussi *lais,* composés après l'*Énéas,* sans doute vers 1170-1175.

Selon le prologue, ces récits ont comme source des « lais », c'est-à-dire des compositions lyrico-narratives que Marie de France a entendu conter par des jongleurs bretons. Jongleurs bilingues ou trilingues à en juger par le titre de certains lais (le *Laüstic,* par exemple) que Marie cite en breton, en anglais et en français et qui ont dû jouer un rôle très important dans la diffusion, dans l'espace Plantagenêt, de la « matière de Bretagne », de l'ensemble des traditions légendaires et des contes folkloriques celtes.

Le mot lai désigne donc chez Marie à la fois la source orale qu'elle a recueillie et son propre texte, la forme littéraire qu'elle invente. Le travail poétique consiste à « conter par rime », à développer et à fixer par l'écrit

« l'aventure du lai » (*Lanval,* v. 1), c'est-à-dire l'histoire, l'événement à partir duquel a été composé par les « Bretons » le lai lyrico-narratif. Le travail littéraire prend donc ici appui non plus sur un texte écrit, « autorisé », à contenu historique (comme le font les romans antiques), mais sur des traditions orales qu'il importe de mettre en « remembrance », auxquelles l'écrivain reconnaît une valeur et une vérité comparables à celles des sujets antiques.

Cette vérité est sans doute d'ordre moral et psychologique. Les *Lais* de Marie de France font la part belle aux motifs folkloriques et au merveilleux féerique des contes celtes. Mais par la dimension autre et exemplaire qu'il donne aux personnages, le merveilleux est aussi le moyen de « passer à la limite », d'explorer, hors des contraintes du réel et du réalisme, ce qui reste le sujet unique des *Lais* : la relation de l'être humain à l'amour. Chaque récit reprend en effet une même « aventure », quelles qu'en soient par ailleurs les modalités et l'issue : la rencontre impérieuse et décisive avec l'amour et les épreuves qu'impose la passion à l'être humain.

Cette représentation multiple de l'amour ne se réfère à aucune idéologie en particulier, bien que l'écrivain connaisse aussi bien les romans antiques (l'*Énéas*) que la lyrique courtoise et la doctrine de la *fin'amor* que la matière du *Tristan,* etc. Sans qu'aucun jugement moral soit explicité, Marie fait coexister dans l'espace du recueil toutes les formes, mêmes aberrantes, de l'amour. Seuls peut-être le caractère souvent dramatique des dénouements, le ton triste et nostalgique de la narration viennent suggérer au lecteur les incertitudes et les impasses de l'amour humain qui ne trouve qu'en Dieu (tel est sans doute le sens de la fin d'*Éliduc,* dernier lai du recueil) sa définitive assise.

On a souvent souligné le caractère elliptique et un peu grêle de l'écriture des *Lais.* Dans ces « récits brefs » (le *Chèvrefeuille* a 118 vers, *Éliduc,* le plus long, 1184), la narration, elle-même rapide, l'emporte en effet sur la description ou l'analyse psychologique. Comparer, cependant, la description de la fée et de sa tente dans le *Lai de Lanval* à ses « modèles » (portrait d'Antigone et description de la tente d'Adraste, par exemple, dans *Thèbes*) montre combien Marie sait recréer en quelques vers une atmosphère qui allie le faste et la splendeur du roman antique à la séduction érotique de l'autre monde féerique.

Chrétien de Troyes et le roman arthurien

On a conservé de Chrétien de Troyes — des chansons courtoises qui en font le premier trouvère connu — cinq romans : *Érec et Énide* (vers 1165), *Cligès* (1176), le *Chevalier de la charrette* (continué à partir sans doute du v. 6150 par Godefroi de Lagni) et le *Chevalier au lion* qui ont dû être composés parallèlement, dans les années 1177-1181 ; le *Conte du Graal* (commencé vers 1180 ou 1181), le plus long des romans de Chrétien, est resté inachevé sans doute à cause de la mort de l'écrivain.

Tous ces romans sont signés du nom de *Crestïens* (*Crestïens de Troies* au début d'*Érec et Énide*). Le *Chevalier de la charrette* est dédicacé à Marie, comtesse de Champagne, et le *Conte du Graal* fait l'éloge de Philippe d'Alsace, comte de Flandre, que l'écrivain a pu connaître à la cour de Champagne. La liste de ses œuvres, que Chrétien donne au début du *Cligès,* nous apprend qu'il a commencé sa carrière en sacrifiant à la mode du roman antique et en composant des adaptations d'Ovide mais qu'il a également abordé la matière du *Tristan* avec un conte *del roi Marc et d'Iseut la blonde* qui, curieusement, ne mentionne pas Tristan... Il n'est pas sûr qu'il soit l'auteur de *Guillaume d'Angleterre,* une œuvre qui tient à la fois du conte pieux et du récit d'aventure.

À partir d'*Érec et Énide,* le premier roman du cycle arthurien, la « matière de Bretagne » devient le matériau narratif qu'utilise presque exclusivement Chrétien. Comme Marie de France, il a dû connaître des récits transmis oralement auxquels il a emprunté des canevas, des schèmes, des motifs narratifs. Le prologue d'*Érec et Énide* fait allusion au « conte d'aventure » colporté par des jongleurs à partir duquel Chrétien élabore son roman.

Mais une source écrite importante est le *Brut* de Wace et la chronique qu'il donne du règne d'Arthur. C'est à Wace en effet que Chrétien reprend ses héros de référence, Arthur, Guenièvre, Gauvain, le neveu du roi, Keu, son sénéchal, et l'ensemble des chevaliers du roi, ceux pour lesquels a été instituée la Table ronde.

Mais par rapport à Wace et aux auteurs des romans antiques, l'originalité de Chrétien est déjà dans les modes de structuration de l'espace, du temps, du matériau narratif qu'il invente et que définit peut-être le terme isolé (prologue d'*Érec et Énide*) de *conjointure*. Tout se passe en effet comme si, dans la chronique de Wace, qui suit Arthur de sa naissance à sa disparition dans l'île d'Avalon, Chrétien avait fait une sorte de coupe/de pause qui dilate aux dimensions de l'œuvre, d'*Érec et Énide* au *Conte du Graal,* un moment privilégié du règne, la période de paix pendant laquelle sont réunis à la cour Arthur et ses chevaliers.

Au guerrier, au conquérant que présente Wace, Chrétien substitue un roi dont la fonction, essentielle, est de *maintenir* la chevalerie, c'est-à-dire de présider à la cohésion harmonieuse du groupe autour de la Table ronde tout en veillant à ce que soit respectée la coutume (la chasse au blanc cerf dans *Érec et Énide*) qui permet au héros de sortir de l'anonymat, de briser le cercle narcissique de la Table ronde et de lancer le récit. Cycliquement, le texte re-produit ainsi une même scène originelle, la réunion de la cour un jour de grande fête, et l'irruption de l'aventure.

Au retour d'un même espace-temps est liée une pratique : le retour des personnages. Aucun d'entre eux n'appartient en propre à un récit ni même à un auteur. La liste des chevaliers que donne Chrétien dans l'épisode des noces d'*Érec et Énide* constitue comme une sorte de trésor collectif où chaque roman, chaque auteur, viennent puiser, faisant de tel ou tel chevalier le protagoniste du récit.

Le devenir ultérieur de la narration est fonction du déplacement dans l'espace (Chrétien invente le type romanesque du « chevalier errant ») du héros. Cet espace peut être l'Autre Monde des traditions celtes (le royaume de Gorre, par exemple) mais plus souvent un espace autre, indécis, envahi par la forêt, coupé d'eaux périlleuses et qui cerne dangereusement la cour d'Arthur. Le cheminement du chevalier y est jalonné par la rencontre avec l'aventure, qui est d'abord signe d'élection : n'en trouve que celui qui en est digne. Elle est aussi le moyen, pour le chevalier, de mettre à l'épreuve et de faire la preuve de sa prouesse, de sa valeur, de trouver et de conquérir la femme qu'il désire. Mais l'aventure essentielle est celle qui le conduit, au-delà de la rencontre amoureuse et de la qualification héroïque, à la connaissance de soi. Connaissance que signifie la découverte du nom, ignoré, oublié, masqué, qui dévoile l'être véritable du héros et la métamorphose qu'il a subie : Yvain devient le Chevalier au lion ; le chevalier *charretté* est nommé Lancelot par la reine amante ; le *valet* gallois devient Perceval le *chaitif* (le malheureux) après avoir manqué l'aventure du Graal.

À partir de cette structure fondamentale qui unit le devenir du temps, le cheminement du protagoniste et son évolution psychologique et morale, Chrétien invente et explore, d'un roman à l'autre, d'autres « conjointures ». *Érec et Énide* et le *Chevalier au lion* présentent une structure bipartite : un premier cycle d'aventures est consacré à la conquête de la femme/de l'amour ; mais ce qui serait ailleurs le dénouement du récit est ici le prélude à la crise (Érec oublie son devoir de chevalier, Yvain oublie la promesse faite à Laudine) qui relance l'action et lance le héros à la quête de lui-même. Dans le *Chevalier de la charrette* et dans le *Conte du Graal,* le procédé des quêtes parallèles, que le récit conte en alternance, ouvre et agrandit le champ romanesque, module la durée, tout en permettant au lecteur de mesurer la valeur respective des chevaliers.

Aucun des héros de Chrétien ne revient définitivement à la cour d'Arthur : Érec devient roi de Nantes ; Yvain se retire avec Laudine avec le domaine féerique de la Fontaine. À ces destins achevés s'opposent ceux de Lancelot et de Perceval. Par leur incomplétude, par le mystère qui pèse sur leurs enfances, sur leur origine et sur leur devenir, ils ont ouvert un nouvel espace-temps qui repousse les bornes du monde arthurien, qui appelle d'autres récits, des continuations et des continuateurs (voir p. 122).

La place que tient Chrétien dans la littérature médiévale, l'influence qu'il a exercée sur les romanciers du XIIIe siècle doivent beaucoup sans doute à sa richesse inventive, à cette perpétuelle création de formes et de « possibles narratifs » qui viennent bousculer l'ordonnance un peu raide du roman antique et de la chronique. Mais Chrétien de Troyes est également un très grand écrivain qui a introduit un ton et un rythme neufs dans l'écriture romanesque. Généralisant la pratique de la brisure du couplet (l'unité syntaxique et sémantique ne coïncide plus avec l'unité rythmique, le couple de rimes), il a donné au vers narratif plus de souplesse, de vivacité, un rythme qui s'adapte aussi bien à l'échange rapide du dialogue qu'au caractère continu de la narration.

Aux descriptions exhaustives du roman antique, il préfère les notations brèves, allusives, les rares descriptions « lourdes » (la robe de couronnement d'Érec par exemple, ou la scène du Graal) soulignant par contraste leur importance et leur dimension symbolique. L'influence de la rhétorique ovidienne, relayée par le roman antique, est encore sensible dans les monologues amoureux *(Cligès, Chevalier au lion),* mais les interventions du narrateur, le recours à l'hyperbole, les jeux un peu précieux sur les mots, etc., viennent souvent nuancer ironiquement et remettre à leur juste place les subtilités de l'analyse ou les excès de la plainte. Cet art elliptique, cette écriture ambiguë et distanciée, qui sont pour beaucoup dans la séduction qu'exerce l'œuvre, rendent souvent bien difficile l'interprétation des textes, permettant une superposition, sans doute voulue, des lectures, des sens qu'autorisent déjà les réactions et les partis pris divergents des continuateurs directs de Chrétien.

Destinés au public aristocratique des cours, à la classe chevaleresque, tous les romans de Chrétien jusqu'au *Conte du Graal* font une place essentielle à l'amour dans sa relation à la prouesse guerrière. *Érec et Énide,* le *Chevalier au lion,* qui traitent (pour la première fois) de l'amour conjugal, montrent à quelles conditions le désir amoureux, source de toutes les vertus comme l'affirme le pseudo-prologue du *Chevalier au lion,* peut et doit se concilier avec les exigences de la vie chevaleresque et l'ouverture au monde qu'elle requiert. La seconde partie du *Chevalier au lion,* après l'épreuve de la folie, insiste davantage sur la finalité de la prouesse qui ne doit pas être recherche d'une vaine gloire mais se mettre en priorité au service de l'autre.

On a souvent vu dans *Cligès* une réponse au *Tristan* et une dénonciation de la passion adultère. Fénice, l'héroïne, condamne en effet explicitement la conduite d'Iseut et le

« partage des corps » auquel elle se résout. Mais les artifices compliqués que met en œuvre le récit pour contourner l'adultère et réunir les amants ne sont guère convaincants. Le *Chevalier de la charrette* en revanche, qui reprend au *Tristan* le motif de l'amour adultère du chevalier pour la reine (mais Lancelot n'est pas le neveu d'Arthur) et à la poésie lyrique occitane la figure du *fin amant* entièrement voué au service de sa dame, propose une image valorisante de la passion adultère. Le pari insensé que fait le chevalier en acceptant, au nom de l'amour, l'humiliation de la charrette, en dédaignant, lorsque la dame l'exige, le code et les valeurs chevaleresques, lui obtient la récompense suprême, la nuit avec la reine et l'expérience extatique de la joie, tandis que l'épisode du *Cimetière futur* et la libération des gens d'Arthur prisonniers du royaume de Gorre lui confèrent la dimension messianique du héros libérateur. Mais un autre point de vue se dessine, à travers l'épisode du suicide par exemple, ou les méditations extatiques qui font perdre au héros toute conscience de lui-même, du monde qui l'entoure et de sa mission.

Plus énigmatique encore, ne serait-ce que parce qu'il est inachevé, le *Conte du Graal* peut se lire comme le roman d'apprentissage d'un adolescent ignorant mais doué qui découvre d'un même élan la vie chevaleresque et l'amour humain. Mais ce temps linéaire et fécond est brutalement interrompu par l'apparition du Graal et des motifs ambivalents qui lui sont attachés. Dispensant une nourriture abondante et cette nourriture essentielle qu'est l'hostie, centre rayonnant d'une constellation énigmatique formée par la lance qui saigne, l'épée brisée et le tailloir d'argent, responsable, sans doute, de l'impuissance du Roi Pêcheur et de la stérilité de son royaume, le Graal, chez Chrétien, renvoie aussi bien à cette Terre/Forêt gaste(stérile), domaine commun du Roi Pêcheur et de Perceval, le fils *a la veve dame de la Gaste forest soutaine,* qu'à l'évocation étincelante du renouveau et de la forêt printanière où le héros fait sa première expérience de la joie. Ambivalence et ambiguïté que le texte ne résout pas et que les continuateurs s'efforceront d'élucider.

L'Orient romanesque

Les romans de Chrétien de Troyes projettent dans un « Ouest » idéal (la Grande Bretagne arthurienne) l'image d'un monde où s'uniraient dans l'harmonie amour, prouesse et courtoisie. Un nombre non négligeable de récits d'inspiration et de tonalité par ailleurs très disparates situent dans un Orient tout aussi imaginaire mythes généalogiques, fantasmes de pouvoir et rêveries exotiques.

Écrit sans doute vers 1150 et dans le contexte de la seconde croisade, le *Conte de Floire et Blancheflor* inaugure en français le genre du roman idyllique (deux enfants s'aiment, sont séparés et se retrouvent au terme d'une longue quête) mais en s'inspirant d'un conte des *Mille et Une Nuits* (le « conte de Neema et Noam »). Le récit fait également une large place à un merveilleux « oriental » dont le faste et la beauté (le jardin de l'émir, les automates) s'allient à une cruauté raffinée. En libérant Blancheflor, captive du harem de Babylone (Le Caire), et en forçant l'émir à renoncer à sa coutume perverse (tuer la femme qu'il a gardée un an), Floire impose déjà à l'Orient les normes et les pratiques sexuelles de l'Occident. Le dénouement, le mariage de Floire le païen avec la chrétienne Blancheflor, le couronnement du héros et sa conversion suivie de celle de son peuple, viennent de surcroît confirmer le triomphe de la chrétienté sur le monde païen.

C'est aussi le thème de la confrontation de l'Orient et de l'Occident, annoncé dès le prologue par les réflexions sur la « translation » de la chevalerie et de la « clergie », que reprend Chrétien dans *Cligès.* À l'amour heureux d'Alexandre et de Soredamor, les parents de Cligès, à la cour d'Arthur, s'opposent les aventures éprouvantes de Cligès et de Fénice dans l'espace byzantin. La fin du roman d'autre part semble bien confirmer la « courtoisie » de l'Occident en rappelant comment la conduite de Fénice a servi de prétexte aux empereurs byzantins pour inventer les harems et le renfermement des femmes...

On a pu établir (A. Fourrier, *le Courant réaliste,* ouvr. cit.) des rapports assez précis entre des récits comme *Cligès, Partonopeu de Blois, Éracle, Florimont,* et les intérêts dynastiques, politiques, etc., de grandes familles nobles dans le monde byzantin ou en Terre sainte. Il est possible en effet que l'auteur de *Partonopeu de Blois* (vers 1185) ait voulu exalter les origines de la famille de Blois. Mais les aventures de son héros, comte de Blois et d'Angers et fils de Clovis, qui finit par épouser la fée Mélior, qui est aussi la fille de l'empereur de Byzance, transpose dans le monde oriental le motif breton de l'amour de la fée pour le chevalier (voir par exemple le lai de *Lanval* de Marie de France) en substituant au royaume imaginaire de la féerie les prestiges plus concrets de Byzance.

Composé entre 1176 et 1181 par Gautier d'Arras, un clerc contemporain et sans doute rival de Chrétien, commencé à la demande de Thibaut, comte de Blois, et de Marie de Champagne, et achevé pour Baudouin V, comte de Hainaut, *Éracle* est selon le prologue une biographie d'Héraclius, empereur de Byzance (610-641), dont le nom est attaché à l'histoire de la Vraie Croix. En fait, le récit, qui couvre une très longue durée, raconte successivement les « enfances » d'Éracle qui a le triple don de connaître les vertus cachées des gemmes, des chevaux et des femmes, les amours adultères de l'impératrice de Byzance, la victoire d'Éracle, devenu empereur, sur le Perse Chrosoés à qui il enlève la sainte Croix, et le retour triomphal de la relique à Jérusalem. P. Zumthor a bien montré (*L'Écriture et la Voix...* dans *The Craft of Fiction,* Rochester, 1984) comment ce texte *a priori* disparate trouvait son unité dans « le regard que jette Gautier sur un passé ressenti comme exemplaire et fondateur », était « un réceptacle et un miroir de tous les discours poétiques alors en formation dans la langue vulgaire », et comment, par la pratique insistante et multiple de la glose, s'inscrivait dans ce « récit » la trace sensible de la « parole » du narrateur.

Le roman d'*Ipomédon* (fin du XIIe siècle) de l'écrivain anglo-normand Hue de Rotelande se déroule pour une grande partie en Italie du Sud et en Sicile, mais la tonalité générale du récit renvoie d'abord au roman arthurien. Il se peut donc, comme le note son éditeur A.J. Holden (Klincksieck, 1979), que « l'évocation de ces régions lointaines » corresponde « à une intention d'exotisme » tout en prenant appui sur les rapports qui unissent alors les familles normandes d'Angleterre à leurs parents installés en Sicile.

L'exotisme, la volonté de dépayser le lecteur semble encor plus évidentes dans le *Florimont* d'Aimon de Varennes (1188) dans lequel l'auteur a habilement mêlé ses souvenirs de voyages, des légendes locales et des contes orientaux. Mais l'histoire héroïque et amoureuse de Florimont, fils du duc d'Albanie, est aussi celle du choix difficile entre la reine et la fée. Amoureux de la « pucelle (de la fée) de l'île Célée », Florimont finit par l'oublier, épouse Romadanaple, héritière du roi de Macédoine, et devient ainsi l'ancêtre d'Alexandre le Conquérant...

La production romanesque du XIIe siècle laisse l'impression d'une diversité foisonnante, de récits qui s'essaient aussi bien à explorer espaces connus et espaces imaginaires qu'à jalonner le temps mythique et le temps de l'histoire. Un thème fondamental y reste cependant la relation de l'amour à la souveraineté et au pouvoir. À travers la quête amoureuse qui est le plus souvent quête nuptiale se joue la conquête du pouvoir, de la terre, liée à la femme, de la lignée qu'elle saura assurer. Mais si l'amour dans le roman a bien partie liée avec le pouvoir, si la conquête de la femme et la découverte de l'amour ne semblent bien souvent que la métaphore séduisante d'une conquête autre, l'amour y est aussi ce par quoi le monde advient à ce modèle idéal de civilisation que le XIIe siècle a nommé « courtoisie ». Preux par définition, comme le héros de la chanson de geste, le héros romanesque se doit aussi d'être courtois, d'être à tous les sens du terme « aimable » pour être aimé et assurer ainsi son pouvoir.

BIBLIOGRAPHIE

LES PLUS ANCIENS TEXTES

Extraits dans

R.L. Wagner, *Textes d'étude (ancien et moyen français),* Droz-Minard, 1961.

Études

P. Zumthor, *Langue et Techniques poétiques à l'époque romane (XIe-XIIIe siècles)* Klincksieck, Paris, 1963, et *Essai,* p. 315-322.

LA CHANSON DE GESTE

Éditions et/ou traductions de quelques chansons

Chanson d'Antioche, éd. S. Duparc-Quioc, 2 vol., Paris, 1977-1978.

Chanson de Guillaume, éd. et trad. J. Wathelet-Wilhem, Les Belles-Lettres, 2 vol., 1975.

Chanson de Roland, éd. et trad., G. Moignet, Paris, Bordas, 1969.

Chanson de la croisade albigeoise, éd. et trad. É. Martin-Chabot, Les Belles-Lettres, 1960, 3 vol.

Le Charroi de Nîmes, éd. J.L. Perrier, Champion, CFMA, 1963.

Le Couronnement de Louis, éd. Y. Lepage, Droz, TLF, 1978.

Huon de Bordeaux, éd. P. Ruelle, PUF, 1960 et trad. F. Suard, Stock/Moyen Âge, 1983.

La Prise d'Orange, éd. C. Regnier, Klincksieck, 1967, trad. C. Lachet, *ibid.*, 1982.

Raoul de Cambrai, éd. P. Meyer et A. Longnon, SATF, trad. F. Suard, Corps 9, 1986.

Renaud de Montauban ou les Quatre Fils Aymon, trad. M. de Combarieu du Grès et J. Subrenat, Folio, 1983.

Le Voyage de Charlemagne à Jérusalem et Constantinople, trad. M. Tyssens, Gand, 1978.

Études

J. Bédier, *les Légendes épiques, recherches sur la formation des chansons de geste,* 4 vol., Paris, 1908-1913.

D. Boutet et A. Strubel, *Littérature, Politique et Société,* chap. II, ouvr. cit.

J. Frappier, *les Chansons de geste du cycle de Guillaume d'Orange,* 2 vol., SEDES, Paris, 1955-1965.

J.-H. Grisward, *Archéologie de l'épopée médiévale,* Payot, 1981.

P. Le Gentil, *la Chanson de Roland,* Hatier, 1962.

D. Poirion, *la Chanson de geste,* dans *Précis,* ouvr. cit., p. 59-82.

Sur l'évolution de la chanson de geste au XIIIe siècle

M. Rossi, *Huon de Bordeaux et l'évolution du genre épique au XIIIe siècle,* Champion, 1975.

J. Rychner, *la Chanson de geste, essai sur l'art épique des jongleurs,* Droz, 1955.
Voir également le *Bulletin bibliographique de la société Rencesvals,* Nizet, Paris.

TROUBADOURS ET TROUVÈRES

Anthologies

P. Bec, *Anthologie des troubadours,* 10/18, Paris, 1979.
J. Roubaud, *les Troubadours,* Paris, Seghers, 1971.
E. Baumgartner et F. Ferrand, *Poèmes d'amour des* XII*e et* XIII*e siècles (anthologie de trouvères),* 10/18, Paris, 1983.

Études

Sur les troubadours

Outre les introductions des anthologies citées, voir

P. Bec, *Burlesque et Obscénité chez les troubadours, le contre-texte au Moyen Âge,* Stock/Moyen Âge, Paris, 1984.
H.-I. Marrou, *Troubadours et Trouvères au Moyen Âge, Paris,* Le Seuil, 1971.
R. Nelli, *l'Érotique des troubadours,* 10/18, Paris, 1974 (rééd.).
J.-Ch. Payen, *le Prince d'Aquitaine. Essai sur Guillaume IX et son œuvre érotique,* Champion, Paris, 1980.
J. Roubaud, *la Fleur inverse, Essai sur l'art formel des troubadours,* Ramsay, 1986.

Sur les trouvères

P. Bec, *la Lyrique française au Moyen Âge (*XII*e-*XIII*e siècles). Contribution à une typologie des genres poétiques médiévaux,* 2 vol. *(I. Études, II. Textes),* Picard, Paris, 1977-1978.
R. Dragonetti, *la Technique poétique des trouvères dans la chanson courtoise. Contribution à l'étude de la rhétorique médiévale,* De Tempel, Bruges, 1960.
M. Zink, *la Pastourelle. Poésie et Folklore au Moyen Âge,* Bordas, Paris, 1972 ;
Belle, Essai sur les chansons de toile, suivi d'une édition et d'une traduction, Champion, Paris, 1978.
P. Zumthor, *Essai,* ouvr. cit., p. 189-311.

LE ROMAN AU XIIe SIÈCLE

Éditions et/ou traductions d'œuvres citées

Coll. Classiques français du Moyen Âge (CFMA), Paris, Champion :
Béroul, le *Roman de Tristan,* éd. E. Muret, trad. P. Jonin ;
Chrétien de Troyes, *Érec et Énide,* éd. M. Roques, 1955, trad. R. Louis, 1954 ;
— *Cligès,* éd. et trad. A. Micha, 1957 ;
— *Chevalier de la charrette,* éd. M. Roques, 1958, trad. J. Frappier, 1962 ;

— *Chevalier au Lion,* éd. M. Roques, 1960, trad. C. Buridant et J. Trotin, 1972 ;
— *Conte du Graal,* éd. F. Lecoy, 1973-1975, trad. J. Ribard, 1979 ;

Conte de Floire et Blanchefor, éd. J.L. Leclanche, 1980 ;
Gautier d'Arras, *Éracle,* éd. G. Raynaud de Lage, 1976 ;
Marie de France, *Lais,* éd. J. Rychner, 1966, trad. P. Jonin, 1972 ;
Roman d'Énéas, éd. J.J. Salverda de Grave, 1925 et 1929, trad. N. Thiry-Stassin, 1985 ;
Roman de Thèbes, éd. Raynaud de Lage, 1966-1967.

Textes littéraires français (TLF), Genève, Droz :
Thomas, *les fragments du Roman de Tristan,* éd. B. Wind, TLF, 1960.
Société des anciens textes français (SATF) :
Benoît de Sainte-Maure, *le Roman de Troie,* éd. L. Constans, trad. E. Baumgartner (extraits), 10/18, 1987.
Édition et traduction de l'ensemble des récits français du XIIe siècle sur Tristan et Iseut par J.-Ch. Payen, *Tristan et Iseut,* Garnier, 1974.
Wace, *le Roman de Brut,* éd. de la « partie arthurienne » par I.D.O. Arnold et M.M. Pelan, Klincksieck, 1962.

Études

D. Boirion, *Résurgences,* PUF, 1986.

Sur le roman antique
L.D. Donovan, *Recherches sur le roman de Thèbes,* SEDES, 1975.
J.-Ch. Huchet, *le Roman médiéval,* PUF, 1984 (sur l'*Énéas*).
A. Petit, *Naissances du roman. Les techniques littéraires dans les romans antiques du XIIe siècle,* Paris, Champion, 1985.
G. Raynaud de Lage, *les Premiers Romans français,* Genève, Droz, 1976.

Sur les Lais de Marie de France
Ph. Ménard, *les Lais de Marie de France,* PUF, 1979.
E. Sienart, *les Lais de Marie de France,* Champion, 1978.

Sur les romans de Tristan
P. Gallais, *Genèse du roman occidental. Essais sur « Tristan et Iseut » et son modèle persan,* Paris, éd. du Sirac, 1974.
F. Barteau, *les Romans de Tristan et Iseut. Essai de lecture plurielle,* Larousse, 1972.
E. Baumgartner, *Tristan et Iseut : de la légende aux récits français du XIIe siècle,* PUF, 1987.

Sur la matière de Bretagne, le roman arthurien et Chrétien de Troyes

J. Frappier, *Chrétien de Troyes,* Hatier, 1957 (nouv. éd. 1968).
— *Chrétien de Troyes et le mythe du Graal,* SEDES, 1972.
— *Amour courtois et Table ronde,* Genève, Droz, 1973.

P. Gallais, *Perceval et l'initiation,* Paris, éd. du Sirac, 1972.

E. Köhler, *l'Aventure chevaleresque. Idéal et Réalité dans le roman courtois,* Gallimard, 1956.

P. Le Rider, *le Chevalier dans le Conte du Graal de Chrétien de Troyes,* SEDES, 1978.

R.S. Loomis, *Arthurian Literature in the Middle Ages,* Oxford, 1959.

Ph. Ménard, *le Rire et le Sourire dans le roman courtois en France au Moyen Âge,* Genève, Droz, 1969.

J.-Ch. Payen, *le Motif du repentir dans la littérature française médiévale (des origines à 1230),* Genève, Droz, 1967 (concerne aussi la chanson de geste).

J. Ribard, *Le Chevalier de la Charrette : Essai d'interprétation symbolique,* Nizet, 1972.

Voir également : *The Romances of Chretien de Troyes, A Symposium,* éd. by D. Kelly, Lexington, 1985, et *The Legacy of Chretien de Troyes,* éd. by N. Lacy, D. Kelly, K. Busby, Rodopi, Amsterdam, 1987.

CONTINUITÉS ET MUTATIONS : 1200-1340

Les formes littéraires médiévales évoluent lentement. La chanson de geste, la poésie lyrique, le roman arthurien en vers n'ont pas connu, au XIIIe siècle, de bouleversements fondamentaux. La périodisation ici proposée est donc en partie arbitraire. Elle tient compte cependant de ces modifications profondes du champ littéraire que sont notamment, au XIIIe siècle, la coexistence du vers et de la prose dans le domaine du roman, l'essor de la chronique historique en prose, l'apparition de nouvelles formes poétiques non chantées, le développement multiple des formes brèves et la naissance du théâtre profane.

Le legs de Chrétien de Troyes

Une part importante de la production romanesque en vers et en prose du XIIIe siècle témoigne de l'influence exercée par l'œuvre de Chrétien. À ses successeurs, Chrétien léguait en effet :

— un temps de référence, le règne d'Arthur ; un cadre spatial, la cour du roi, symbolisée par la Table ronde, et le monde plus ou moins hostile qui l'entoure et où se déploie l'aventure. Bien des romans arthuriens commencent ainsi par la scène traditionnelle de l'irruption de l'aventure, à la cour du roi, un jour de grande fête et du départ du héros ;

— des personnages, le couple Arthur et Guenièvre, Gauvain et Keu le sénéchal, qui reviennent d'un roman à l'autre et très souvent dans les séquences d'ouverture et de clôture du texte. Mais dans les romans du XIIIe siècle, Gauvain est aussi le héros du récit *(le Chevalier à l'épée, la Mule sans frein, l'Âtre périlleux, Humbaut),* d'une partie du récit (*le Chevalier aux deux épées, les Merveilles de Rigomer, Escanor,* etc.) ou intervient aux côtés du protagoniste *(Meraugis de Portlesguez, Yder).* Dans d'autres romans, le héros est soit un chevalier de la Table ronde, soit un chevalier « nouvel » *(Jaufré, Bel Inconnu,*

Yder, Fergus), qu'a attiré le prestige de la cour arthurienne ;

— une structure narrative fondée sur le déplacement dans l'espace du « chevalier errant ». La chevauchée linéaire du héros est alors jalonnée par la rencontre d'aventures qui peuvent être des étapes plus ou moins initiatiques et/ou des « détours » ralentissant sa marche et celle du récit. Un roman comme le *Bel Inconnu* de Renaud de Bâgé combine les deux possibilités. La mission du héros, délivrer la reine Blonde Esmerée, est interrompue voire compromise par la rencontre amoureuse avec la fée de l'île d'Or ;

— des scènes, des motifs types, des techniques d'écriture, des couples de rimes, etc.

En somme, l'œuvre de Chrétien constitue au XIIIe siècle une sorte d'univers préexistant à tout récit dans lequel s'inscrivent explicitement les épigones. Le jeu consiste à renouveler de l'intérieur les motifs, les structures narratives, les procédés stylistiques, mais aussi à questionner l'idéal chevaleresque et sentimental mis en place par le maître champenois. Ces récits sont d'une grande diversité de ton et d'écriture. Ils laissent cependant bien souvent affleurer plus nettement que les romans de Chrétien des motifs folkloriques *(Jaufré, Bel Inconnu, Âtre périlleux, Merveilles de Rigomer)* ; ils posent un regard souvent critique sur l'éthique courtoise *(Durmart le Galois)* et tendent vers un certain réalisme en multipliant les scènes de la vie quotidienne *(Durmart, Yder)* ou en contant la difficile insertion sociale d'un chevalier pauvre *(Yder).*

Lancelot et Perceval sont, chez Chrétien, des héros au destin inachevé. Un mystère entoure leurs « enfances » féeriques ou cachées. Rien n'est dit de l'origine de l'amour de Lancelot pour Guenièvre ni de son devenir. Le *Conte du Graal* laisse en suspens la double quête de Perceval et de Gauvain, du Graal et de la Lance qui saigne. Double quête que tente de mener à bien, dès la fin du XIIe siècle et dans les premières décennies du XIIIe siècle, l'énorme ensemble textuel des *Continuations du Conte du Graal : Première Continuation* ou *Continuation Gauvain, Deuxième Continuation* ou *Continuation Perceval* et *Continuations* plus tardives de Gerbert de Montreuil et de Manessier.

Suite assez disparate de récits plus ou moins autonomes (comme ce récit dans le récit qu'est le *Livre de Caradoc*), la *Première Continuation* est cependant centrée sur les aventures de Gauvain dont la quête échoue. Les autres *Continuations,* dont le héros est Perceval, donnent des versions de plus en plus christianisées de la quête du Graal. Elles essaient aussi de combiner le motif du mariage du héros avec Blancheflor, de son enracinement dans le monde terrestre, avec celui de la quête du Graal qui requiert un héros chaste, voire vierge. Un motif récurrent, repris à Chrétien, est celui de « l'épée brisée » que tentent, d'un récit l'autre, de ressouder Gauvain et Perceval et qui apparaît comme le signe de l'impossible clôture/soudure de la Quête et des récits qu'elle informe. Un autre trait est la tension que maintiennent ces textes entre le schéma linéaire de la quête et les aventures chevaleresques, féeriques, sentimentales des héros (notamment de Perceval dans la *Seconde Continuation*). Autant de digressions qui donnent aux récits épaisseur et durée et retardent un dénouement trop prévisible.

La forme prose

Dès le XIIe siècle, la prose a été utilisée pour la traduction ou la rédaction de textes juridiques, didactiques (*Lapidaire* en prose) ou religieux (traductions des *Psaumes,* de livres de la Bible — les *Quatre Livres des Rois —,* des *Sermons* de saint Bernard, de Maurice de Sully, etc.). Dans les années 1190-1210 et principalement dans le nord de la France et en Flandre (le rôle des comtes de Flandre et de leur famille a été prépondérant) se développe la conviction que la prose est plus apte que le vers à dire le vrai, qu'elle est donc la forme appropriée pour la traduction en français d'œuvres perçues comme historiques (par exemple la *Chronique,* en latin, *du pseudo-Turpin,* version cléricale de la conquête de l'Espagne par Charlemagne) et, d'une manière générale, pour l'écriture de l'histoire. La recherche de la vérité, d'une transparence, au reste illusoire, du discours — comme le vers, l'écriture en prose a ses contraintes propres — ne suffit pas cependant à expliquer le lien qui s'établit également dès le début du XIIIe siècle entre la forme prose et le motif de la quête du Graal.

La forme prose et l'écriture de l'histoire

La chronique historique en vers est bien représentée, au XIIe siècle, en milieu anglo-normand où se développe, avec l'*Estoire des Engleis* (1137) de Gaimar, le *Roman de Rou* (1160-1174), de Wace, histoire de la lignée des rois normands, et l'ample *Chronique des ducs de Normandie* (vers 1174) de Benoît de Sainte-Maure, ce que l'on pourrait appeler une histoire nationale de la dynastie anglo-normande dont le *Brut* de Wace contait le passé légendaire (les origines troyennes, l'histoire des rois britanniques). Si d'autre part les chroniques concernant la première croisade sont d'abord rédigées en latin, dès la seconde moitié du XIIe siècle s'amorce un mouvement de « vulgarisation » : un certain Ambroise, qui a fait partie de l'expédition de Richard Cœur de Lion, rédige une *Histoire de la troisième croisade* (en vers), témoignage fort intéressant sur la situation politique et militaire de la Terre sainte, sur la figure de Saladin, sur le pénible siège de Saint-Jean-d'Acre et même sur le nostalgique pèlerinage du narrateur dans une Jérusalem désormais aux mains de l'ennemi. Mais c'est en prose qu'est traduite au XIIIe siècle, sous le titre d'*Estoire* ou de *Livre d'Éracle,* la grande histoire des croisades de Guillaume de Tyr (vers 1130 apr. 1186), *Historia rerum in partibus transmarinis gestarum,* que prolongent des *Continuations* directement composées en français. L'ensemble, qui retrace l'histoire de la croisade, des origines à 1275, a connu un immense succès.

Au XIIIe siècle, et même si l'on recense encore des textes en vers comme la *Vie de Guillaume le Maréchal* (vers 1226) ou la *Chronique rimée des rois de France* (jusqu'en 1241) de Philippe Mousket, la prose s'impose pour l'écriture de l'histoire, ancienne et contemporaine, sous l'influence conjuguée d'un milieu, celui des cours de Flandre et de Hainaut, et d'un événement, la quatrième croisade. Écrite vers 1208-1213 pour un châtelain de Lille, l'*Histoire ancienne jusqu'à César,* sans doute de Wauchier de Denain, unit et entrelace savamment « l'histoire sainte » et l'histoire profane, intégrant la matière des romans antiques et lui conférant ainsi une dimension historique. Vers 1213-1214 sont rédigés les *Faits des Romains* qui sont essentiellement une biographie de Jules César. L'histoire nationale enfin, l'histoire officielle de la royauté française, devient également accessible au public laïc avec la traduction en 1274 des *Chroniques latines de saint Denis.* Le texte ainsi constitué, les *Grandes Chroniques de France,* fut continué, en français, jusqu'au XVIe siècle.

La quatrième croisade et la prise en 1204 de Constantinople ont donné lieu à plusieurs relations en prose, intermédiaires entre la chronique et les mémoires, parmi lesquelles se détachent les récits de Robert de Clari et de Villehardouin. En contrepoint à la relation plus élaborée de Villehardouin, Robert de Clari a composé une sorte de chronique quotidienne de la croisade, faite du point de vue d'un petit chevalier et du groupe qu'il représente. Le trait distinctif de ce récit est peut-être une écriture discontinue et directe qui fait alterner la relation des faits et des exploits guerriers, les réactions des participants, les prises de parole, les digressions (sur les mœurs des Commains, par exemple) et la description éblouie des merveilles de Constantinople, ville impériale, ville chrétienne, ville reliquaire.

Dans son épilogue, Robert de Clari déclare qu'il a voulu, en tant que témoin et acteur digne de foi, faire *metre en escrit le verité, si comme* [Constantinople] *fu conquise.* On a souvent souligné, en revanche, la dimension apologétique de la *Chronique* de Villehardouin, l'un des responsables historiques de la déviation de la croisade. Au plan textuel, on retiendra surtout l'art avec lequel le mémorialiste a su disposer sa matière selon la technique de l'entrelacement, jouer des traditions littéraires (bien des pages montrent une utilisation concertée du style épique), recomposer de savants discours ou de brillants tableaux, unir à la relation des faits une réflexion sans doute orientée sur les causes politiques et morales de la déviation de la croisade et de ces échecs cruels que furent, pour Villehardouin, la défaite d'Andrinople et la mort tragique de son héros, Boniface de Montferrat.

Composée au tout début du XIVe siècle par Jean de Joinville (1225-1317) à l'intention du futur Louis X, la *Vie de saint Louis* se veut d'abord, comme l'indique le titre, une biographie faite par un homme qui fut l'ami et le confident du roi et lui voua une admiration passionnée. Bien des pages cependant, celles qui concernent par exemple la septième croisade et qui forment l'essentiel de l'œuvre, ont valeur de document historique sur l'expédition elle-même, sur la politique intérieure et extérieure de Louis IX, sur la mise en contact de deux civilisations, etc. Mais à travers le portrait de saint Louis et l'histoire de sa vie, Joinville entend aussi donner une dimension exemplaire à son récit, exalter une image modélisante de la royauté et de la noblesse — le Louis IX du « mémorialiste » est autant roi que chevalier —, et célébrer l'idéal du *preudome* tel que l'a lui-même défini et incarné le roi. Fondant enfin l'authenticité de son témoignage sur sa relation intime à son héros, Joinville évoque autant dans son récit la vie de saint Louis qu'il revit son aventure personnelle aux côtés du saint, du roi, de l'ami très cher. La *Vie de saint Louis* constitue ainsi le premier exemple dans la littérature française d'un récit pris en charge par le *je* d'un narrateur qui s'inclut et s'engage personnellement dans son témoignage et où la frontière reste souvent indécise entre la biographie et l'autobiographie.

Proses du Graal

La prose est également la forme qu'adopte dès le début du XIIIe siècle un ensemble de textes qui tentent de constituer des sommes romanesques de plus en plus amples en conjuguant l'histoire du Graal et celle du monde arthurien. Le point de départ en est le *Roman de l'Estoire dou Graal* (en vers) composé à la fin du XIIe siècle par Robert de Boron. Dans ce récit, le Graal est à la fois l'écuelle de la Cène et le *vaissel* dans lequel Joseph d'Arimathie, devenu le premier *soudoier*/chevalier au service du Christ, a recueilli le sang du Crucifié. Témoin et relique des mystères de l'Eucharistie et de la Passion, le Graal est d'autre part destiné dans le récit, et sur l'ordre céleste, à la *terre vers Occident, es vaus d'Avaron* (Avalon), c'est-à-dire à la Grande Bretagne arthurienne. Le neveu de Joseph, Bron ou Hébron, le Riche Pêcheur, doit en effet y transférer la relique et y attendre la venue du fils de son fils qui sera le dernier des gardiens du Graal. Le texte établit à ce stade un parallèle explicite entre la généalogie déployée dans le temps — Bron, son fils Alain et son petit-fils (sans doute Perceval) — et le mystère de la Trinité, des trois personnes divines, unes et trines. Il donne simultanément le modèle des romans en prose du Graal : une « saisie » de la trajectoire du Graal, de son « invention » à sa disparition, à travers ces trois étapes fondamentales que sont le temps pré-arthurien, le règne d'Arthur, le temps de la quête et de la disparition du royaume d'Arthur.

Ce schéma ternaire est celui de la *Trilogie* en prose attribuée à Robert de Boron qui comporte un *Joseph* (qui reprend en prose l'*Estoire dou Graal* de Robert), un *Merlin* en prose et un *Perceval* en prose. Relatant d'abord cette contre-Nativité qu'est la naissance de Merlin, le fils du diable sauvé par Dieu, le *Merlin,* s'appuyant sur le *Brut* de Wace, retrace sous forme de chronique l'histoire de la Grande Bretagne jusqu'à l'avènement d'Arthur. Merlin y joue un rôle décisif : il organise et oriente le développement de l'histoire et en assure la mise en écrit. Dicté par le prophète à Blaise le scribe, le *Livre du Graal,* qui émane du témoin et de l'acteur, acquiert ainsi presque le statut (il ne relate pas les secrets du Graal) de livre autorisé, de nouvel (ou de contre) évangile. Plus tardif, le *Perceval* en prose unit le motif de la quête du Graal aux aventures chevaleresques de son héros et se termine sur le récit de l'effondrement du royaume arthurien. Seul survit au drame Merlin le prophète dont les interventions là encore impulsent l'action et la mise en récit.

L'histoire conjuguée du Graal et du royaume arthurien est aussi le sujet du *Lancelot-Graal.* Le noyau central, le *Lancelot en prose* (vers 1220-1225) suivi de la *Queste del saint Graal* (vers 1225-1230) et de la *Mort le Roi Artu* (vers 1230), fond en une vaste synthèse, réécrit et développe :

— des données empruntées à Chrétien de Troyes : les amours de Lancelot et de Guenièvre ; le motif de la quête du Graal, mais l'élu est ici Galaad, fils de Lancelot et de la fille du Roi Pêcheur ;

— le motif des enfances féeriques du héros, connu de Chrétien et développé dans le *Lanzelet* (vers 1195) d'Ulrich von Zatzikhoven ;

— l'histoire de la fin du royaume d'Arthur telle que l'avaient contée Geoffroy de Monmouth et Wace.

Deux textes enfin clôturent le cycle en amont : l'*Estoire Merlin* (avant 1240) qui combine le *Merlin* en prose avec un récit des débuts difficiles du règne d'Arthur et l'*Estoire del saint Graal* qui réécrit, à partir du *Joseph* en prose et de la *Queste,* le « mythe d'origine » du Graal, de Joseph d'Arimathie et de son lignage.

On a pu voir dans la *Trilogie* et dans le *Lancelot-Graal* des récits marqués par l'influence cléricale (par opposition à la tonalité plus profane des récits arthuriens en vers). De fait, bien des passages du *Merlin* et du *Lancelot* en prose donnent du pouvoir royal et de la fonction du chevalier une définition qui tient compte des exigences de paix intérieure, de justice, de défense des faibles, etc., prêchées par l'Église. La *Queste,* mais aussi certaines pages du *Lancelot,* condamnent dans les faits et par le discours des ermites la chevalerie *terrienne,* la poursuite de la vaine gloire et, à travers Lancelot, l'éthique de la *fin'amor.* Elle propose surtout avec Galaad l'image d'une chevalerie nouvelle (la chevalerie *celestielle*) qui met sa prouesse au service de Dieu et qui poursuit en lieu et place de l'amour humain la quête des secrets de Dieu, la révélation extatique des grands mystères de la foi. Image que développe sur un mode plus militant, plus pénétré de l'esprit de la croisade, le *Perlesvaus* (sans doute antérieur à la *Queste*) qui lance la chevalerie arthurienne dans un combat multiple contre les forces du mal et fait de son héros le champion triomphant de la Nouvelle Loi, de la foi chrétienne, dans sa lutte contre les tenants barbares de l'Ancienne Loi.

Dans la mesure cependant où ces textes reprennent et retravaillent l'espace-temps, les motifs, les personnages arthuriens, ils signifient par là même la possibilité donnée à la classe chevaleresque de se renouveler, de se trouver une éminente mission au monde, voire de pénétrer triomphalement comme le chevalier Galaad ou le chevalier Perlesvaus dans la sphère du sacré.

D'autre part, la filiation charnelle qu'invente le *Lancelot* en prose entre Lancelot et Galaad peut se lire comme la projection en texte d'une autre filiation, de la chevalerie *terrienne* à la chevalerie *celestielle* et de leur nécessaire complémentarité, l'accomplissement de l'une requérant l'im-perfection de l'autre.

L'organisation d'ensemble de ces récits qui se présentent comme des chroniques, des histoires globales du royaume arthurien, rend peut-être compte de la forme adoptée : la prose. D'autre part, mieux que le vers, la prose, la syntaxe plus élaborée qu'elle autorise, est sans doute un outil mieux adapté à une écriture qui cherche, tant au niveau de l'ensemble (le cycle) qu'au niveau de la phrase, à saturer le temps et à configurer sans faille (à en donner l'illusion) l'enchaînement (chrono) logique des causes et des conséquences, le réseau toujours ouvert des circonstances. Enfin, le choix d'une forme liée à la pratique de la traduction et passant pour « véridique » renvoie sans doute au mode (fictif) d'élaboration de ces récits qui se présentent comme la *translation* d'un texte antérieur émanant de la voix du prophète *(Merlin* en prose*)*, d'un ange *(Perlesvaus)*, d'une première mise en écrit des aventures faite par les « grands clercs » d'Arthur *(Lancelot, Quête, Mort Artu)*, etc.

À la suite du *Lancelot-Graal* mais enchâssés dans le nouvel espace-temps qu'il délimite, ont été composés d'autres récits comme le *Tristan* en prose et *Guiron le Courtois*. Le *Tristan* en prose réécrit l'histoire de Tristan et Iseut sur le modèle du couple Lancelot Guenièvre. *Guiron* développe les aventures de la génération des « pères » (d'Arthur, de Tristan, de Lancelot, etc.). Ces deux récits marquent le retour à un romanesque résolument profane mais, à l'intérieur de cet univers désacralisé, le *Tristan* est aussi une réflexion sur le bien-fondé des pratiques chevaleresques et les impasses de l'éthique courtoise.

La fiction réaliste

On a parfois regroupé sous l'étiquette de « roman réaliste » un ensemble de récits qui, sans renoncer aux situations et aux héros extra-ordinaires, rejettent le référent et le merveilleux arthuriens, s'efforcent de préserver une certaine vraisemblance morale et psychologique et tendent vers « l'expression romancée du réel » (A. Fourrier, ouvr. cit.). Dès la fin du XIIe siècle, Gautier d'Arras, dans son roman d'*Ille et Galeron* (1177-1178), reprenait le motif d'origine celtique de l'homme entre deux femmes déjà traité par Marie de France (lai d'*Éliduc*) mais situait dans un monde « réel » — la Bretagne continentale, la cour de France, l'Empire romain menacé par Byzance — le drame psychologique et les aventures, au reste peu communes, de ses héros. Au XIIIe siècle, l'œuvre considérée comme la plus représentative de ce nouveau courant romanesque est celle de Jean Renart (l'*Escoufle,* vers 1202, le *Roman de la Rose* ou *Guillaume de Dole,* vers 1228), mais on y rattache également le *Galeran de Bretagne* de Renaut, le *Roman de la Violette* de Gerbert de Montreuil, l'anonyme *Jouffroi de Poitiers* et, à la fin du siècle, le *Roman du châtelain de Coucy et de la dame du Fayel* par Jakeme et le roman occitan de *Flamenca.*

Ces récits s'ancrent en effet dans un décor quotidien où alternent l'espace des châteaux et l'espace urbain ; ancêtres du roman historique, ils mélangent habilement personnages réels et inventés, représentatifs des différentes classes de la société et multiplient les « effets de réel ». Mais la cohérence narrative de ces textes, où la vraisemblance des situations et des sentiments est de fait bien souvent malmenée, tient surtout dans les rapports qu'ils tissent avec la tradition littéraire (*Galeran* réécrit le *Lai de Fresne*), avec les contes folkloriques qu'ils reprennent (motifs de la gageure, de l'innocente persécutée dans le *Roman de la Rose* et le *Roman de la Violette*) et avec la tradition lyrique.

Galeran exploite ainsi des motifs et des situations empruntés à la *canso* ; *Jouffroi de Poitiers* pourrait être selon J.-Ch. Payen (*le Prince d'Aquitaine,* p. 159) une sorte de mise en roman de la légende de Guillaume IX. Un autre procédé, inauguré par Jean Renart dans son *Roman de la Rose,* consiste à enchâsser dans le récit des pièces lyriques de provenance et de tonalité très diverses. En harmonie avec les actes et les sentiments des héros, ces chansons donnent de surcroît aux protagonistes d'un récit « réaliste », l'empereur Conrad et « Belle Lïenor », la dimension légendaire de l'amant poète de la *canso,* de l'héroïne des chansons de toile ou de la « reine » des caroles de mai. À la suite de Jean Renart, bien des écrivains ont joué du contraste entre lyrisme et roman : ainsi au XIIIe siècle du *Roman de la Violette,* du *Cléomadès* d'Adenet le Roi, du

Tristan en prose, au XIVe siècle du *Méliador* de Froissart, du *Livre du Voir Dit* de Guillaume de Machaut, etc.

Une très intéressante variation de ce procédé est *le Roman du Châtelain de Coucy et de la dame du Fayel* dans lequel la narration se déploie à partir des chansons d'amour et de croisade du Châtelain qui sont elles-mêmes enchâssées dans le récit, et qui réutilise en son finale le motif obsédant du « cœur mangé ». La tentation de reprendre à la lyrique son bien est encore plus nette dans le roman de *Flamenca* (fin du XIIIe siècle), éblouissante synthèse, dans le cadre de la civilisation occitane d'avant la croisade albigeoise, du roman psychologique, du roman de mœurs, du roman d'aventure. Reprenant les motifs de la lyrique et la didactique des arts d'aimer (l'amour de loin, la mal mariée, le mari jaloux, l'analyse du sentiment et du discours amoureux), le récit s'achève (la fin en est perdue) sur le triomphe de la très courtoise Flamenca qui a su aussi bien guérir son mari de sa folle jalousie qu'exalter en son amant, Guillaume, les vertus ici complémentaires du clerc habile à persuader et à séduire et du chevalier épris de gloire et d'exploits.

Il n'est guère possible — car le XIIIe siècle est vraiment le siècle d'or de l'expérimentation romanesque — de tout citer d'une production abondante et diverse dans laquelle le roman fertile en aventures extraordinaires (comme le *Cléomadés* d'Adenet le Roi ou *le Méliacin* de Girart d'Amiens) ou plus ancrées dans la réalité contemporaine prend une place de plus en plus importante. On signalera cependant que bien des récits du XIIIe siècle ont comme sujet l'ascension sociale (et la réussite sentimentale, mais les deux sont liées) d'un jeune homme bâtard ou d'un rang modeste et qui finit par épouser celle qu'il aime au terme d'une longue suite d'épreuves (*Amadas et Ydoine, Richars li Biaus, Jehan et Blonde,* etc.). Un autre motif insistant est celui du désir incestueux d'un père pour sa fille, motif déjà présent dans le *Lai des deux amants* de Marie de France et qui sert de point de départ à des récits comme la *Belle Hélène de Constantinople,* la *Manekine* de Philippe de Beaumanoir ou, au début du XIVe siècle, le *Roman du comte d'Anjou* de Jean Maillart, tandis que l'étrange *Roman de Silence* d'Heldris de Cornouailles fonde son intrigue sur le travestissement en homme de l'héroïne.

Or dient et content et fablent : « Aucassin et Nicolette »

Composé à la fin du XIIe siècle ou dans la première moitié du XIIIe siècle, *Aucassin et Nicolette,* qualifié de *chantefable* par son auteur, joue de tous les registres et de tous les « possibles narratifs ». Le texte présente une alternance, unique en son genre, de laisses chantées et de passages plus développés en prose. Son auteur reprend et réécrit avec humour et désinvolture situations et motifs empruntés à la chanson de geste, au roman d'aventure, au roman idyllique, à la poésie lyrique, etc., mais aussi aux traditions orales et folkloriques. Une autre originalité du récit est la place prépondérante donnée à l'héroïne tant au plan psychologique qu'au plan dramatique. Alors qu'Aucassin, personnage plutôt passif, fait parfois figure d'anti-héros et d'anti-chevalier (J. Dufournet, éd. cit., p. 25 et ss.), c'est Nicolette qui, par son courage, son énergie, son esprit inventif, mène le jeu et assure, au terme d'un récit plein de sourire et de tendresse, le triomphe de l'amour sur les convenances, les pesanteurs sociales et les épreuves de toutes sortes.

Le *Roman de la Rose* de Guillaume de Lorris et Jean de Meun et l'écriture allégorique

Couler les motifs clés de la lyrique courtoise dans une trame romanesque, ressourcer l'écriture à la seule vérité d'un désir révélé par un songe, détourner les procédures et les mises en scène de l'écriture allégorique pour fonder la valeur exemplaire d'une quête érotique, telles furent sans doute quelques-unes des ambitions de Guillaume de Lorris qui composa vers 1225-1230 son *Roman de la Rose.*

Avant Guillaume de Lorris (et après), l'écriture allégorique, c'est-à-dire une écriture qui distingue explicitement la *lettre* du texte (le sens littéral, *apert,* évident) de sa *senefiance* (le sens caché, *covert*) que l'auteur y a encodée et que le lecteur doit décrypter, est bien attestée en langue vernaculaire. Au tout début du XIIIe siècle, s'inspirant des techniques mises au point au XIIe siècle par des écrivains comme Bernard Silvestre dans son commentaire allégorique de l'*Énéide* ou comme Alain de Lille dans son *Anticlaudianus,* Raoul de Houdenc relate dans le cadre d'un songe présenté comme autobiographique un voyage en enfer (le *Songe d'Enfer*). Les différentes étapes en sont autant de rencontres du narrateur avec les personnifications des vices. Le même Raoul dans son *Roman des Ailes* développe systématiquement le sens allégorique des deux « ailes » de Chevalerie, Largesse et Courtoisie, et des sept « plumes » que chacune comporte.

Sans doute contemporain de Guillaume de Lorris, le *Tournoiement de l'Antéchrist* d'Huon de Méry transpose dans l'espace arthurien (la fontaine de Brocéliande) le combat allégorique des vices et des vertus (thème repris à la *Psychomachia* de Prudence). Les vices menés par l'Antéchrist affrontent les vertus secondées par Arthur et ses chevaliers. Dans la *Quête du Graal,* elle aussi contemporaine, les ermites révèlent aux chevaliers le sens caché de leurs aventures héroïques et de leurs visions. Le développement des monologues, dans le roman, les débats qu'ils instaurent entre Amour et Raison par exemple, les allégories qu'emploie la poésie lyrique avaient également habitué écrivains et lecteurs à un mode d'approche psychologique qui passe par la personnification des sentiments, des pulsions affectives.

Mais l'originalité de Guillaume de Lorris est d'abord d'avoir transplanté procédés et figures allégoriques dans un espace courtois, le Verger de Deduit, qui abrite la Fontaine de Narcisse et le Buisson de roses, où se dresse, plus tard, le Château de Jalousie, prison de la Rose, et où se déroulent la quête toute profane du rêveur/de l'amant, la révélation progressive des mystères de l'amour, de ses joies, de ses douleurs. Vices et vertus, brillamment décrits, sont d'autre part redistribués voire inventés en fonction de l'éthique courtoise, d'une morale de l'amour (Vieillesse est ici vice et Richesse vertu cardinale !), tandis que les réactions de la Rose/de la jeune fille (Dangier, Bel Accueil, etc.) sont elles aussi personnifiées et étroitement intégrées à l'action.

Le projet didactique énoncé dans le prologue (*ce est li Romanz de la Rose / ou l'art d'Amors est tote enclose,* v. 37-38), développé dans les commandements du dieu Amour mais aussi par les étapes de l'initiation amoureuse, n'épuise pas cependant une *senefiance* qui entretient des rapports complexes avec la légende de Narcisse. Lieu de la mort, de la métamorphose et de leur mise en écriture, lieu où naît la graine qui lui donne son nom, la *Fontaine d'Amors,* où le rêveur lit l'histoire de Narcisse avant de découvrir non plus son image mais celle du buisson de roses, peut tout aussi bien signifier le passage d'un amour stérile au désir de l'autre, le passage d'une écriture fondée sur le temps circulaire du lyrisme au déploiement dynamique de la quête, que désigner, de manière plus secrète, l'espace où naît du désir, où *grène* cette mystérieuse semence qu'est l'écriture.

Vers 1268-1282, Jean de Meun, un clerc maître ès arts dont nous avons conservé des traductions de Végèce, de Boèce et d'Abélard (traduction de l'*Historia calamitatum*) a ajouté une suite d'environ 18 000 vers au récit de Guillaume. Cette suite reprend le montage allégorique et le schéma général du premier roman et mène à son terme la quête de la Rose : aidés par de nouvelles personnifications comme Faux-Semblant, Nature et Génius, Amour et ses troupes prennent d'assaut le château de Jalousie et l'amant parvient à « déflorer » et à féconder la Rose.

L'œuvre de Jean de Meun est d'abord une relecture critique du récit de Guillaume : elle souligne et dénonce les impasses de la *fin'amor.* Au Verger clos de Deduit, à la Fontaine « périlleuse » de Narcisse, Jean oppose le Pré largement ouvert du Bon Pasteur qu'irrigue la Fontaine de Vie, et au mythe de Narcisse celui de Pygmalion, de l'artiste capable par la force de son désir et avec l'aide de Vénus de transmuter la matière inerte en vie.

D'une manière plus générale, le texte de Jean de Meun, ce texte qu'il qualifie lui-même de *Miroir aux Amoureux,* se présente simultanément : — comme un poème scientifique et philosophique dans lequel l'amour, les relations entre les sexes, sont à la fois le point de départ et le principe directeur de la réflexion ; — comme une œuvre qui fait une large place à la satire traditionnelle (la satire des femmes) et à la polémique plus engagée (satire des moines mendiants) ; — comme une somme didactique qui intègre de larges pans d'un savoir livresque mais axé sur la connaissance des phénomènes naturels, de l'univers sensible.

La narration proprement dite passe au second plan. Développant au maximum les possibilités de l'*amplificatio,* l'auteur greffe sur l'action de très amples discours dans lesquels viennent encore s'enchâsser de longs « excursus », adressés à l'amant-disciple et par delà au lecteur, par les allégories mises en place par Guillaume ou introduites par Jean de Meun. Raison pose le thème : le désir amoureux, loi de Nature, doit être ordonné à la procréation. Ami donne à l'amant les moyens d'une séduction, d'un art d'aimer fondés sur l'hypocrisie tandis que le discours qu'il prête au « mari jaloux » est une satire féroce des *mœurs feminins.* Faux Semblant, allégorie de l'hypocrisie religieuse et figure emblématique des ordres mendiants, promet à l'amant le secours de ses ruses. Réplique au discours d'Ami, celui de la Vieille dénonce l'oppression des femmes par les hommes et prône la liberté sexuelle.

D. Poirion a fort justement souligné (ouvr. cit., p. 145 et *sq.*) la dimension « ironique » d'un enseignement fondé sur le jeu dialectique des *contreres choses* (v. 21543) et qu'on ne saurait recevoir tel quel, dans ses outrances et ses contradictions. Développements philosophiques, arts d'aimer perfides et tirades misogynes à l'excessive agressivité convergent cependant pour réhabiliter et exalter la dimension physique de l'amour, principe, élan vital en parfaite symbiose avec les lois de Nature. Aux pratiques sexuelles contraintes et dépravées par l'ordre moral, social, religieux (et par l'idéalisme courtois), le mythe de l'Âge d'or oppose une ère idéale de liberté, de « franchise » et de naturelle fécondité.

Dans la dernière partie du texte, où se fait particulièrement nette l'influence d'Alain de Lille et de la poésie philosophique latine du XIIe siècle, la description de Nature travaillant dans sa *forge* à la perpétuation de l'espèce, sa plainte contre l'homme oublieux de ses devoirs, le sermon de son « chapelain » Génius, ultime appel au devoir de procréation, sont à la fois une révélation du mystère de la création, une description de l'univers, une cosmogonie et une cosmologie qui redoublent et fondent au plan divin cette vision dynamique d'un monde impulsé et perpétué par l'élan vital du désir.

Le succès et l'influence du *Roman de la Rose,* attestés par le nombre considérable de manuscrits (environ trois cents), par la riche diversité de leur iconographie, par l'existence de remaniements, de mises en prose (comme celle faite en 1500 par Molinet), de traductions (la plus célèbre est celle de Chaucer), puis par les éditions imprimées du XVIe siècle (dont celle qu'a donnée Clément Marot en 1526 ou 1527), ont été durables et profonds. Dès le XIVe siècle, le *Roman* devient, comme l'a montré P.-Y. Badel (ouvr. cit.), un livre de référence auquel on emprunte sentences, exemples, citations et développements moraux et politiques. Au tout début du XVe siècle, l'antiféminisme de Jean de Meun est dénoncé par Christine de Pizan. La longue *Querelle du Roman de la Rose* oppose ainsi les détracteurs de Jean de Meun, Christine soutenue par Jean Gerson, qui mettent en évidence l'immoralité, le caractère pernicieux de l'œuvre, et ceux qui en admirent le style et en défendent la philosophie, Jean de Montreuil, Pierre et Gontier Col (voir p. 51).

L'influence du roman a été également considérable au plan littéraire. Le cadre du songe autobiographique, l'espace du verger, la fontaine, la blessure, la prison d'Amour, le dieu et ses flèches reviennent avec prédilection dans la production poétique des XIVe et XVe siècles tandis que les figures allégoriques deviennent le mode d'expression privilégié de la relation amoureuse et de ses nuances.

L'utilisation que fait le roman des mythes et des figures mythiques de l'Antiquité se retrouve également dans la poésie postérieure mais aussi dans un texte comme le *Roman de la Poire* de Tibaut (vers 1250). Dans ce roman, les quatre couples d'amoureux « mythiques » qui prennent la parole dans le prologue mettent en perspective et donnent sa dimension exemplaire au récit allégorique des souffrances et des espoirs de l'amant. Le *Bestiaire d'Amour* de Richard de Fournival (vers 1250 ?, en prose) unit lui aussi écriture allégorique et requête amoureuse tout en rapportant le symbolisme animal hérité des Bestiaires traditionnels « non plus à un enseignement moral et religieux mais à une casuistique courtoise illustrant les circonstances et les étapes d'une quête amoureuse » (G. Bianciotto, ouvr. cit., p. 125). Au début du XIVe siècle, le *Dit de la Panthère d'amour* de Nicole de Margival conte à son tour, dans le cadre du rêve autobiographique, la quête érotique de la Panthère merveilleuse, personnification de la dame aimée.

D'une manière générale, l'allégorie s'impose dès la seconde moitié du XIIIe siècle et plus encore aux XIVe et XVe siècles, voire au-delà, comme mode privilégié de la perception du monde et de l'expression littéraire. D'une production abondante et très diversifiée on retiendra plus particulièrement :

— les textes qui se présentent comme la glose d'un texte antérieur dont ils « révéleraient » le sens caché. Ainsi de l'*Ovide moralisé* (entre 1316 et 1328) qui glose dans une perspective chrétienne les *Métamorphoses* d'Ovide. Ainsi de l'utilisaiton satirique de la figure de Renart par Rutebeuf *(Renart le Bestourné)* et par Jacquemart Giélée qui, dans *Renart le Nouvel* (1289), confère une valeur symbolique aux aventures et au personnage du *goupil* devenu une personnification du démon. Ainsi des deux rédactions (en 1327 puis en 1342) de *Renart le Contrefait,* composé par un ex-clerc de Troyes et dont le thème central est le combat de Renart et de Raison. On peut également citer le *Roman de Fauvel* (vers 1310-1314) de Gervais du Bus dont le héros, le Cheval fauve, est la figure emblématique de Fausseté, de ses ravages, de son triomphe ;

— les textes, très nombreux, qui reprennent le motif de la *Psychomachia* comme certains *Dits* de Rutebeuf (la *Bataille des Vices contre les Vertus*) ou les « batailles » des *Sept Arts* d'Henri d'Andeli, de *Carême et de Charnage,* etc. (voir p. 43) ;

— les textes également très nombreux qui adoptent le cadre du songe autobiographique pour retracer des voyages dans l'au-delà (*Voie de Paradis* de Rutebeuf, de Baudoin de Condé), des itinéraires de l'âme humaine tel le *Pèlerinage de Vie humaine* (1330-1332) qui connut un immense succès, de Guillaume de Diguleville, ou procurer un traité politique. Ainsi par exemple du *Songe du Verger* (1378) ou encore du *Songe du Vieil Pèlerin* (1389) de Philippe de Mézières, qui est aussi un « miroir au prince » (le traité est particulièrement destiné au jeune Charles VI).

Formes brèves

Siècle des sommes théologiques, encyclopédiques, romanesques, etc., le XIIIe siècle est aussi une époque où se multiplient les formes brèves, modèle narratif doublement inauguré au XIIe siècle par les *Lais* féeriques et les *Fables* ésopiques de Marie de France. Au XIIIe siècle, le « narratif bref » regroupe un ensemble très ouvert de textes pour lesquels il est difficile de trouver des critères de classification thématique et formelle. La forme la plus courante est le couplet d'octosyllabes à rimes plates, mais on trouve aussi des formes strophiques (quelques *Dits* de Rutebeuf par exemple) et la prose apparaît, seule *(Fille du Comte de Ponthieu, Vies des troubadours)* ou mélangée aux vers (*Dit de l'Herberie* de Rutebeuf). Se côtoient dans les manuscrits :

— des lais bretons, qui restent pour la plupart dans la mouvance de l'univers courtois et des *Lais* de Marie de France, même si certains sont parfois une parodie et une critique de l'éthique courtoise : *Lai du Cor* de Robert Biket, *Lai du Lecheor, Lai d'Ignauré, Lai* (ou fabliau) *du Mantel Mautaillié* ;

— des récits qui s'inscrivent dans l'espace-temps contemporain comme le *Lai de l'Ombre* de Jean Renart ou la *Châtelaine de Vergy* ou font encore la part du merveilleux comme le *Vair Palefroi* ;

— des vies de saints et des contes pieux en l'honneur de la Vierge comme les *Miracles de Notre Dame* (voir p. 150) auxquels on peut rattacher des pièces en l'honneur de la Vierge, des variations sur l'*Ave Maria,* etc. ;

— l'abondante et diverse production des « dits », terme vague, utilisé par les écrivains médiévaux comme dans les recueils manuscrits et qui qualifie aussi bien des boniments de colporteurs et de jongleurs, comme le *Dit du Mercier,* le *Dit de la Maille,* le *Dit de l'Herberie* (de Rutebeuf), que des compositions moralisantes comme le *Dit de l'Unicorne et du Serpent,* que de nombreuses pièces allégoriques, que des pamphlets politiques comme certains *Dits* de Rutebeuf (*Dit des Cordeliers, Dit d'Hypocrisie, Dit des Béguines,* etc.). D'une manière générale, ce terme de « dit » semble plutôt désigner, à partir du XIIIe siècle, des textes traitant, à la première personne, des sujets d'ordre général ;

— les différentes branches du *Roman de Renart* et le corpus des fabliaux, récits qui, même s'ils revendiquent une dimension moralisante ou rejoignent la veine satirique, marquent surtout le moment où le rire obtient droit de cité à part entière dans le champ littéraire.

Le Roman de Renart

On appelle *Roman de Renart* un recueil de vingt-six contes ou « branches », « fort divers voire contradictoires, sans liaison organique ni unité de ton, qui ont été écrits de 1174 à 1250 par une vingtaine d'auteurs très différents par leur personnalité, leur talent, leur goût, leurs préoccupations ». (J. Dufournet, éd. cit., p. 5). Cet ensemble, au moins pour les branches anciennes, est cependant fondé sur le principe de la « série » : reconduction d'une structure narrative où domine le « bon tour » ; récurrence des mêmes personnages répartis entre opposants et adjuvants du *goupil* ; omniprésence exaltée, admise ou rejetée par les conteurs, de la *guile,* de la capacité du protagoniste, Renart, à manier la ruse et à manipuler ses victimes.

Les plus anciennes branches (br. II et V*a* du recueil édité par J. Dufournet) posent le thème principal en faisant de Renart celui en qui s'incarnent une faim dévorante (au propre et au figuré) et un désir protéiforme de séduction et de jouissance. Elles racontent les manœuvres déceptives de Renart face aux autres animaux (Chantecler le coq, Tibert le chat, Tiécelin le corbeau) et surtout l'origine de la guerre entre le *goupil* et le loup Ysengrin dont la cause est le viol de la louve par Renart. Les branches I et I*a* en donnent la suite logique, le jugement de Renart, cité à comparaître devant la cour de Noble le lion, le roi des animaux, et le siège de son repaire, *Maupertuis,* par l'armée royale. Mais elles ouvrent aussi le champ des « possibles narratifs » en relatant le bon tour par lequel Renart échappe à la mort. Les nombreux successeurs de Pierre de Saint-Cloud (le clerc auteur de la br. II et V*a*) reprennent ces données. Mais d'une branche à l'autre la veine satirique l'emporte sur le divertissement, Renart tendant à devenir l'incarnation du Mal et de ses suppôts terrestres (voir p. 137).

Composés par des clercs qui connaissaient bien les textes et traditions latines et médio-latines utilisant les fables animales — une source importante du *Roman de Renart* est l'*Ysengrimus* (vers 1150) du moine Nivard —, ces récits sont aussi bien souvent une parodie concertée de la chanson de geste, du roman courtois, des *Tristan* ou réutilisent ironiquement l'éthique courtoise, l'idéologie de la croisade, les procédures des débats juridiques, les rituels religieux, etc. Mais l'intérêt des branches les mieux venues tient aussi à l'équilibre/décalage qu'elles ménagent entre la « réalité » animale et les comportements humains, et à la représentation d'une vie quotidienne des animaux et des hommes. À bien des égards enfin, ces récits sont une satire plus ou moins violente de la société médiévale. Satire qui atteint toutes les couches sociales : paysans grossiers aussi âpres au gain que les prêtres de campagne à la conduite peu édifiante, femmes sensuelles et trop rusées, comme Hersent la louve (mais la renarde reste un personnage sympathique). Le roi lui-même n'est pas épargné, lui dont l'autorité est dès les br. I et I*a* menacée et ridiculisée par Renart.

Les fabliaux

Le corpus des fabliaux comprend environ cent soixante textes, attribués ou anonymes, composés de la fin du XIIe au milieu du XIVe siècle. Beaucoup de ces textes se situent (ont été écrits ?) dans la France du Nord : la Picardie est très bien représentée — l'écrivain arrageois Jean Bodel peut être considéré comme le plus ancien auteur connu de fabliaux — mais aussi le Centre (Champagne, Orléanais) et la Normandie. Compte tenu de la grande diversité des sujets traités et de la tonalité dans laquelle ils sont traités — voisinent contes moraux, récits plaisants, bonnes « blagues », histoires lestes ou carrément obscènes —, de la complexité plus ou moins grande de la structure narrative, du degré de maîtrise stylistique, etc., il est difficile de donner du fabliau une définition qui englobe tous les textes ainsi qualifiés (par leurs auteurs, dans les manuscrits) et l'isole comme forme spécifique à l'intérieur du « narratif bref ». On peut cependant noter comme caractéristiques récurrentes :

— l'ancrage des récits dans un espace-temps quotidien (et bien souvent dans un milieu urbain). Quelle que soit sa source, « orientale » ou plus proche, le fabliau se présente généralement comme la mise en récit d'une « aventure » qui s'est produite dans un passé récent et dans un espace aisément repérable.

— La primauté de l'action/de la narration sur d'autres types de discours. Le plus souvent anonymes, les personnages sont caractérisés par leur statut social (le bourgeois, riche commerçant, et sa femme, le clerc, le prêtre, le vilain, etc.). À chaque statut correspond un comportement type.

— Les sujets traités. En surface, ces sujets sont très divers. P. Nykrog a cependant montré (ouvr. cit.) que la situation type du fabliau est celle qui met en scène le « triangle érotique » mari, femme et amant et que le cadre type est la cellule familiale, le couple, avec ou sans enfants, les serviteurs, etc. En fait, les fabliaux reprennent en majorité des motifs que les répertoires de folklore d'A. Aarne et S. Thompson *(The Types of Folktale* et *Motif-Index of Folktale*) regroupent sous les rubriques *Jokes and Anecdotes, The Wise and the Foolish,* ou encore *Deceptions*). Est en revanche très rare le merveilleux de type chrétien ou féerique.

— La présence fréquente d'une moralité dans l'épilogue, ce qui induit un rapport autre qu'étymologique entre la fable et le fabliau. Mais cette moralité reste bien souvent d'un caractère élémentaire et pragmatique quand elle n'est pas en complet porte à faux avec la narration.

— Le style. On parle souvent du ton trivial des fabliaux, lié moins aux sujets qu'ils traitent qu'au « milieu » dans lequel les auteurs situent leurs fables immémoriales. Mais nombre de fabliaux font un usage particulièrement habile des figures de rhétorique ou parodient avec astuce et humour les procédés de l'écriture romanesque, épique et lyrique. L'étude des variantes ou des différentes versions d'un même texte a d'autre part permis à J. Rychner de mettre en évidence le travail concerté d'écriture et de réécriture auquel se livrent certains auteurs.

Faire rire en racontant avec verve des histoires par ailleurs banalisées reste sans doute l'enjeu essentiel des fabliaux. Ces textes étaient/sont des « contes à rire » selon la formule consacrée de J. Bédier, même si parfois la sensibilité du lecteur actuel semble décalée par rapport à celle de l'auditoire médiéval. Mais à travers le motif insistant de l'adultère, qui unit bien souvent contre les « nantis » (riche commerçant, prêtre de paroisse bien installé) une femme et son amant plus ou moins en marge de la société (un clerc impécunieux par exemple), et qui dénonce par le ridicule et le rire l'accaparation des femmes/de la richesse, le fabliau, « né » dans les centres urbains du Nord, se fait peut-être l'écho d'une réflexion qui parcourt tout le XIIIe siècle sur le pouvoir de l'argent et son influence grandissante sur les rapports sociaux et humains.

La nouvelle courtoise

Participent du roman courtois par leur sujet, et des formes brèves par leur structure narrative, deux récits qui sont aussi les premières manifestations du genre de la nouvelle, le *Lai de l'Ombre* de Jean Renart et la *Châtelaine de Vergy*. Le *Lai de l'Ombre* (1221-1222, 962 vers) reprend une situation courtoise type : un chevalier adresse une requête amoureuse à une dame mariée. Mais ici le langage de la séduction, dévalorisé, reste sans effet. Seul le geste fou du chevalier, jetant dans l'eau du puits, pour qu'il y épouse l'ombre de l'aimée, l'anneau qu'elle lui a refusé, triomphe des hésitations de la dame.

La *Châtelaine de Vergy* (avant 1288, 968 vers) projette dans un cadre réaliste, « la » cour de Bourgogne, les héros d'une relation adultère vécue selon les exigences de la *fin'amor* (l'obligation notamment du secret, sans doute reprise au lai de *Lanval* de Marie de France). Mais les malentendus tragiques qui causent la mort de la châtelaine et celle du chevalier, écartelé entre la loyauté due à son seigneur et la loyauté due à sa dame, disent l'impossible conciliation entre les exigences idéales de la *fin'amor* et les résistances du monde féodal.

Le *Lai de l'Ombre* et, de manière encore plus explicite, la *Châtelaine de Vergy* (l'amant chante/reprend en son nom une strophe d'une chanson du Châtelain de Coucy) jouent de la transposition narrative de la lyrique courtoise. Dans la seconde moitié du XIIIe siècle, de courts textes en prose occitane, les *Vidas* (ou Vies des troubadours), explorent une nouvelle relation entre lyrisme et roman. Ces récits élaborent en effet une sorte de biographie romanesque des poètes à partir des fragments de réel que semblent livrer les *cansos*. Plus tardives, les *razos* sont une glose du texte des chansons qui imaginent et imagent la source du *trobar* dans son rapport à la biographie (romanesque) du poète.

La parole poétique

La poésie lyrique (chantée) d'inspiration courtoise ou religieuse (poésie mariale) est comme on l'a vu (p. 91) brillamment et abondamment représentée au XIIIe siècle. Mais dès la fin du XIIe siècle apparaît concurremment une poésie tout à la fois « personnelle, non narrative, et non chantée » qui intègre bien souvent « une réflexion morale et didactique » (P. Zumthor, *Essai...*, p. 405).

Les plus anciens exemples en sont les *Vers de la Mort* d'Hélinand (voir p. 149), puis les *Congés*, forme poétique liée au milieu arrageois, inaugurée par Jean Bodel (1202), reprise par Baude Fastoul (1272) puis par Adam de la Halle (1276-1277). Chaque strophe des *Congés* de Jean Bodel (la structure en est celle de la strophe d'Hélinand) est un adieu particularisé, fait bien souvent au nom de Pitié (détresse) ou d'Anui (souffrance) aux amis, aux compagnons ménestrels, aux bienfaiteurs du poète contraint de se retirer dans une léproserie. Les noms, les lieux arrageois cités donnent à l'œuvre les caractéristiques d'une poésie personnelle et d'un poème de circonstance. Mais à partir de la situation individuelle, évoquée de manière plus réaliste encore dans les *Congés* de Baude Fastoul, se déploient exemplairement une réflexion sur les conditions d'une création poétique dont la lèpre est précisément la matière nouvelle et une interrogation tantôt douloureuse tantôt résignée sur la valeur rédemptrice de l'épreuve envoyée par Dieu.

Les *Congés* d'Adam de la Halle reprennent le projet central du *Jeu de la Feuillée* (voir p. 155), le départ d'Adam pour Paris, le retour à la *clergie*. La satire de l'univers arrageois y est également âpre mais l'adieu à l'amour et à l'amie reste chargé de tendresse et de reconnaissance.

Une part importante de l'œuvre de Rutebeuf s'organise autout d'un *je* qui adopte tour à tour le langage du pamphlétaire, du sermonnaire inspiré ou du pauvre jongleur. De nombreux « dits » sont ainsi une satire violente des moines mendiants et témoignent de l'engagement de leur auteur aux côtés des maîtres séculiers de l'Université (voir p. 24). Dans les poèmes relatifs à la croisade, à l'exhortation au départ outre mer s'unit l'évocation nostalgique d'un âge d'or de la chevalerie. Des pièces comme le *Dit d'Hypocrisie,* la *Voie de paradis* (voir p. 35) mais aussi les poèmes de croisade représentent enfin le poète en visionnaire et prédicateur *voir disant,* prenant en charge — c'est là le « travail » qu'il revendique — le salut de l'humanité (*Nouvelle Complainte d'Outremer* par exemple).

L'ensemble de poèmes traditionnellement nommés *Poèmes de l'Infortune* se déploie diversement autour de la figure du jongleur impécunieux, du pauvre fou forcé de quémander sa subsistance, condamné à la misère par sa dépendance envers le jeu de dés et par la cascade de catastrophes qui fondent sur lui.

Ces pièces, dont certaines sont ouvertement des requêtes adressées à d'éventuels bienfaiteurs, semblent ainsi tirer leur matière d'une expérience vécue de la pauvreté. Les motifs traités (le jeu de dés, le mariage et les ennuis qu'il entraîne, la disparition des amis, etc.), l'accumulation de détails réalistes, les procédés syntaxiques et les structures rythmiques utilisées (notamment la succession de deux octosyllabes et d'un quadrisyllabe rimant avec l'octosyllabe suivant), les images obsédantes du froid, du dépouillement, de la nudité des êtres et des choses, de l'impuissance et du désarroi moral et physique, tout concourt à donner l'illusion d'une poésie autobiographique. Mais l'expérience personnelle, souvent évoquée sur le mode de la dérision, de l'humour, de l'exagération caricaturale (le *Mariage Rutebeuf*), parfois généralisée à l'ensemble des compagnons d'infortune *(Dit des Ribauds de Grève),* s'élève, dans la *Repentance Rutebeuf,* à une ample méditation sur la place et la fonction de l'écrivain (ce parasite qui ne sait pas travailler de ses mains) dans la société des hommes et l'économie du salut.

Rutebeuf s'inscrit dans une tradition d'écriture poétique bien représentée avant lui, notamment par Gautier de Coincy (voir p. 93) et qui fait la part belle à la virtuosité formelle et à la rhétorique. Compensation peut-être concertée à l'absence de l'élément musical. Dans les *Poèmes de l'Infortune* comme dans l'ensemble de son œuvre, Rutebeuf joue, abuse parfois, des possibilités sémantiques des rimes riches et équivoques. Il utilise avec prédilection l'*annominatio,* les jeux sur les mots et déjà sur son propre nom. Il juxtapose les niveaux de langue et les images de registre différent. La récurrence des procédés et des formulations d'une pièce à l'autre, de la poésie personnelle à la poésie de commande, laisse parfois douter de la sincérité de l'écrivain. Mais elle unit aussi, dans une même ferveur exemplaire et pénétrée d'espoir, le pauvre jongleur de la *Repentance Rutebeuf* et le clerc Théophile sauvé *in extremis* par sa prière à Notre Dame.

Enseignements et *chastoiements*

Un trait caractéristique et trop souvent occulté de la littérature médiévale à partir du XIIIe siècle au moins est la multiplication d'œuvres qui tentent de « vulgariser », c'est-à-dire de mettre à la portée des laïcs les différentes branches du savoir, de leur donner les éléments d'une morale pratique, mondaine, de les guider enfin sur la voie du salut. À la différence des formes précédemment étudiées, cette production ne présente aucune unité formelle. S'y côtoient le vers et la prose, les récits brefs et les sommes encyclopédiques, les sermons, les traités, les chansons lyriques, les dits narratifs.

Pour une culture laïque

Dans le domaine scientifique et technique, le travail de vulgarisation passe souvent par la traduction plus ou moins libre d'œuvres latines. Ainsi de la *Chirurgie* d'Henri de Mondeville ou de l'*Art de Chevalerie* de Jean de Meun, traduction du *De re militari* de Végèce. Mais les *Coutumes de Beauvaisis* (1283) de Philippe de Beaumanoir, premier recueil juridique en langue vernaculaire, sont directement écrites en français.

Les Bestiaires et Lapidaires (voir p. 33 et 137) en vers ou en prose, puis, à partir du XIIIe siècle, les encyclopédies en français comme l'*Image du Monde* de Gossuin de Metz (première rédaction en 1248, voir p. 34) dispensent un savoir largement tributaire de leurs sources (pour les encyclopédies, le *De natura rerum* de Solin ou l'*Imago Mundi* d'Honorius d'Autun) et informé par une conception théologique de l'univers sensible. Plus novateur, procédant d'une vision plus laïque et plus pragmatique, le *Livre du Trésor* (en prose française, avant 1267) du Florentin Brunetto Latini condense et structure à l'intention de « l'honnête homme » du XIIIe siècle, du bourgeois « éclairé », un savoir théorique encore traditionnel (éléments de philosophie, description de l'univers, histoire universelle, géographie, Bestiaire, etc.), mais y joint un traité de morale et d'économie sociale, annexe enfin le domaine du politique et de la rhétorique. L'art de bien parler (et de bien écrire) est ici présenté (à la suite du *De Inventione* de Cicéron, la source exploitée) comme principe fondateur des institutions et pratique sociales.

En occitan, le *Breviari d'Amors* (en octosyllabes, vers 1288-1292) du franciscain Matfré Ermangau greffe aux branches du savoir symbolisé par l'*Arbre d'Amor* le *Perilhos Tractat d'amor de donas* (le périlleux traité sur l'amour des femmes) qui fait une large place à l'art et aux poèmes des troubadours.

Parmi les très nombreux textes concernant les bienséances mondaines, l'éducation des enfants, la gestion d'un ménage, la conduite des dames, des demoiselles, des chevaliers et d'une manière générale des grands de ce monde, on citera plus particulièrement :

— ces manuels d'éducation courtoise et de réussite mondaine que sont l'*Enseignement des Princes* (avant 1260) et le *Chastoiement des Dames* de Robert de Blois (auteur également de romans comme *Beaudous* ou *Floris et Lyriopé*).

— Le *Livre des Quatre Âges de l'homme* de Philippe de Novarre, composé vers 1260. Cette œuvre originale se donne comme le fruit d'une expérience multiple de soldat, de diplomate, de juriste et d'une longue carrière passée dans l'Orient latin (à Chypre). Destinée à l'instruction pratique, morale, religieuse des nobles, elle insiste longuement sur l'éducation des enfants et l'éducation très surveillée des filles (il suffit qu'elles sachent filer et coudre), décrit les dangers physiques et moraux auxquels est confrontée la jeunesse, le plus périlleux des âges, etc. Les quatre âges sont enfin mis en concordance avec les quatre vertus cardinales de l'univers moral de Philippe de Novare : Enfance avec Souffrance (endurance et patience), Jeunesse avec Service, Âge mûr avec Valeur et Vieillesse avec Honneur. Philippe de Novare a également composé des poésies d'inspiration diverse, un recueil sur le droit coutumier d'outre-mer et de très pittoresques *Mémoires* dont il ne reste que des fragments.

L'enseignement et la réflexion sur l'amour passent au XIIe puis au XIIIe siècle par la poésie lyrique et le roman, mais aussi par des textes comme les *débats* du clerc et du chevalier, une part importante des jeux-partis, l'anonyme *Donnei des amants,* le traité d'André le Chapelain, etc. Au XIIIe siècle, des traductions/adaptations comme l'*Art d'Amours, Li Remedes d'Amour* (vers 1250) de Jacques d'Amiens, ou la *Clef d'Amour* (1280) « vulgarisent » l'*Art d'aimer* d'Ovide. Sont également composées des traductions du traité d'André le Chapelain comme celle de Drouart la Vache (1290).

Une forme particulière de la « littérature » des enseignements est, en occitan, trois textes, trois *ensenhamens* — le plus ancien, celui de Guiraut de Cabreira, date du milieu du XIIe siècle — spécialement destinés à la formation littéraire et professionnelle de jongleurs et qui sont des documents précieux pour l'histoire littéraire. C'est également en occitan que sont composés des traités comme *Las*

Razos de Trobar (début du XIIIe siècle) ou *Las Leys d'Amors* (première rédaction : 1328-1337), théorisation de la langue écrite et de la poétique occitanes.

Moraliser

Parmi les très nombreuses collections de proverbes, ou les florilèges, recueillant à partir des florilèges latins des sentences qui sont bien souvent d'inspiration stoïcienne (ainsi des *Distiques de Caton*), on retiendra plus particulièrement le *Livre de Philosophie* (en octosyllabes, vers 1260) d'Alard de Cambrai dans lequel chaque sentence est suivie d'un commentaire et qui, selon J.-Ch. Payen (*le Moyen Âge,* ouvr. cit., p. 197), « a sans doute contribué à imposer à l'aristocratie du XIIIe siècle l'idéal d'un *preudomme* plein de mesure et très informé de la philosophie antique ».

Plusieurs ouvrages de morale à l'intention des laïcs se coulent dans le moule des « états » du monde, revue satirique et critique des différentes couches de la société. Le plus ancien est le *Livre des Manières* d'Étienne de Fougères (voir p. 40), mais ce cadre est aussi repris au tout début du XIIIe siècle par la *Bible* (ou livre « total » sur la société humaine) de Guiot de Provins, un jongleur devenu moine, qui est, entre autres, une âpre satire des ordres religieux. La *Bible* d'Hugues de Berzé (entre 1215 et 1220), un chevalier bourguignon qui a participé à la quatrième croisade et composa également des poésies lyriques, poursuit l'œuvre de Guiot. L'auteur se réclame de son expérience « mondaine » pour sermonner ses contemporains.

Le *Besant de Dieu* de Guillaume le Clerc (1226-1227) allie la satire des « états » au thème du « mépris du siècle » et transpose sur le mode allégorique la parabole évangélique des talents (du *besant*). Le texte comporte plusieurs allusions à la réalité contemporaine et notamment une vigoureuse condamnation de la croisade albigeoise.

Le cadre de la chanson de croisade peut également être utilisé pour une revue satirique de la société : ainsi de la *Complainte d'Outremer* (après 1265), et surtout de la *Nouvelle Complainte d'Outremer* (1277) dans laquelle Rutebeuf débusque de façon précise et réaliste les vices des chevaliers, des prélats, des clercs ou des bourgeois s'engraissant de la substance d'autrui.

Édifier

Les recueils de sermons en français, comme celui de Maurice de Sully, sont plutôt des manuels à l'usage des prédicateurs ou s'adressent plus particulièrement à des communautés religieuses : ainsi du sermon de Gautier de Coincy, *De la Chasteté des nonnains* (vers 1223-1227), destiné aux religieuses de Notre-Dame de Soissons. C'est à un public plus vaste, plus mélangé, plus habitué aux récits des jongleurs qu'à ceux des sermonnaires, comme le déplore l'auteur, que s'adresse le *Poème moral* (fin du XIIe siècle). Cet ample sermon (en vers de douze syllabes groupés en quatrains monorimes) exhorte les fidèles au repentir et leur indique, en développant l'exemple de la conversion de la courtisane Thaïs, les voies du salut.

Vers 1194-1197, Hélinand, un jeune noble devenu moine à l'abbaye de Froidmont et dont nous avons également conservé des œuvres en latin, compose à l'intention de ses amis restés dans le monde des *Vers de la Mort,* « composition symphonique fondée sur trois motifs, celui de la toute-puissance de la mort, celui du *contemptus mundi* et celui de la satire » (éd. et trad. cit. p. 28). La poésie d'Hélinand recourt de façon insistante mais efficace aux figures de style éprouvées : répétition, parallélisme, antithèse, etc. L'auteur multiplie à l'intention de son public les images concrètes, d'un réalisme saisissant. La forme utilisée, sans doute « inventée » par le poète — des strophes de douze vers octosyllabiques dans lesquelles le schéma de rimes *aab aab bba bba* permet des effets de rupture ou de reprise — a connu un très grand succès.

Le manuel d'instruction morale et religieuse le plus lu jusqu'à la fin du XVe siècle est cependant la *Somme le Roi,* rédigée en 1279 par un dominicain, frère Laurent, confesseur de Philippe III, et qui explique et commente à l'usage des laïcs les commandements de Dieu, les articles du *Credo,* les sept péchés capitaux et les sept vertus.

Le plus souvent hautement proclamée, la volonté d'édifier emprunte des voies beaucoup plus ambiguës dans des contes pieux comme le *Chevalier au barisel,* le recueil de récits intitulé la *Vie des Pères* (le noyau le plus ancien est de 1230 environ), les collections de *Miracles de la Vierge* et les très nombreuses *Vies* de saints. Les sujets de ces textes recoupent bien souvent ceux des *exempla.* On appelle ainsi « un récit bref donné comme véridique et destiné à être inséré dans un discours (en général un sermon) pour convaincre un auditoire par une leçon salutaire » (rec. cit., p. 10). Ils font une large place au motif du repentir *(Chevalier au barisel)* exaltent, comme les *Miracles* de Gautier de Coincy et les nombreux miracles anonymes, la dévotion à la Vierge et ses pouvoirs face au diable *(Miracle de Théophile, du Jongleur de Notre Dame,* etc.). Mais ils ont dû sans doute une grande part de leur succès à la diversité comme à l'étrangeté des situations qu'ils développent, aux mutiples ressources de l'affabulation romanesque. Les *Miracles* de Gautier, dans lesquels sont enchâssées des chansons à la Vierge, se caractérisent en outre par une recherche excessive mais fascinante de la virtuosité formelle.

Vies de saints (et de saintes) sont aussi prétexte, au-delà de la dimension édifiante, à l'évocation de conduites, bonnes ou dépravées, d'ascèses, de supplices hors du commun. Le motif « exotique » de la vie au désert s'allie ainsi au motif inépuisable de la courtisane repentie dans les Vies en vers (comme celle de Rutebeuf) ou en prose de sainte Marie l'Égyptienne.

Le jeu dramatique

Repérages

Ce que nous avons conservé de la production dramatique médiévale en langue française pour les XIIe et XIIIe siècles, et qui n'est vraisemblablement qu'une partie de la production réelle, est assez inégalement réparti dans le temps et l'espace littéraires. Entre 1150 et 1200 ont été composés, en milieu anglo-normand, le *Jeu d'Adam* et la *Seinte Resurrecion.* Au tout début du XIIIe siècle, Jean Bodel compose un *Jeu de saint Nicolas* qui, par son sujet, appartient au théâtre religieux mais qui comporte de nombreuses scènes comiques. Le milieu arrageois est, tout au long du XIIIe siècle, particulièrement fécond au plan dramatique avec la pièce, anonyme, de *Courtois d'Arras* puis les deux *Jeux* d'Adam de la Halle, le *Jeu de la Feuillée* (1276-1277) et le *Jeu de Robin et de Marion* (1283-1284 ?). Ces deux pièces, auxquelles il faut ajouter *le Garçon et l'Aveugle* (anonyme), sont les premières manifestations du théâtre d'inspiration profane. C'est vers 1260-1270 qu'a été composé, à Paris, par Rutebeuf, le *Miracle de Théophile.*

Cet inventaire est d'une certaine manière arbitraire : il isole ce que nous désignons, selon les normes modernes, comme textes « de théâtre », c'est-à-dire des textes dialogués et qui ont fait l'objet d'une représentation, d'une mise en scène, dans un espace spécifique, pour un public donné. Mais, pour le XIIe et le XIIIe siècle au moins, du fait du mode de diffusion orale d'autres formes textuelles (la chanson de geste par exemple, le fabliau, certains « dits », etc.) et de la « théâtralisation » qu'implique ce mode d'exécution du texte, les frontières restent souvent indécises. Où « classer » des monologues comme le *Dit de l'Herberie* de Rutebeuf par exemple, certains fabliaux riches en dialogues, ou encore le « chantefable » d'*Aucassin et Nicolette,* etc. ?

D'autre part, depuis le XVIe siècle, la représentation théâtrale est associée à un lieu spécifique. Or il n'y a pas au Moyen Âge de lieu théâtral mais des « espaces théâtralisés » (E. Konigson), l'enceinte des abbayes, l'église, puis l'espace urbain (place du marché surtout, mais aussi voie que suit cette autre forme de théâtre, de spectacle qu'est l'*Entrée royale* [voir p. 67]).

Une pièce de théâtre est pour nous un texte qui a une certaine qualité littéraire et qui est composé pour un nombre x de représentations et de reprises. Or, la représentation théâtrale médiévale n'est pas un élément habituel de la vie culturelle mais un événement unique, qui se produit à l'occasion d'une grande fête (fête d'un saint, fête d'une confrérie) et à laquelle participe l'ensemble de la communauté urbaine. Même si elle reprend, comme c'est bien souvent le cas, un canevas, un scénario, et dans le cas du théâtre religieux, des Mystères et des Passions, les grands mythes fondateurs du christianisme, la pièce est composée pour cette circonstance unique. C'est sans doute parce qu'il s'agissait d'écrivains de grand renom que nous avons conservé l'œuvre théâtrale de Jean Bodel, de Rutebeuf, d'Adam de la Halle.

C'est dans les abbayes bénédictines (comme celle de Fleury-sur-Loire) et à partir du Xe siècle qu'apparaissent les premières formes du « drame liturgique », écrites par des clercs pour des clercs. Une évolution décisive de l'histoire du théâtre médiéval est le passage, ancien, de la représentation de l'espace clos de l'abbaye à celui de l'église, ouverte aux laïcs, puis surtout à celui de la cité. Ce dernier déplacement qui implique l'utilisation presque exclusive du français a joué un rôle décisif dans l'avènement d'un théâtre profane où le rire puisse se déployer.

L'espace scénique du théâtre religieux en langue vernaculaire, tel qu'on peut tenter de le reconstituer pour le XIIe siècle à partir du prologue de la *Seinte Resurrecion,* est un espace symbolique qui reproduit la conception théologique et chrétienne de l'univers (voir p. 35). Sur l'aire de jeu ou place, orientée selon les axes cardinaux, s'opposent le paradis, à l'est, et l'enfer, à l'ouest. Le prologue indique six *mansions,* c'est-à-dire des « lieux » que le spectateur distingue du lieu neutre, banalisé qu'est la place, par la présence d'objets emblématiques par exemple et par les personnages qui s'y tiennent. Outre le paradis et l'enfer, le texte ici isole comme *mansions* la Croix, le Tombeau, la Geôle où attend Longin et la maison des pèlerins d'Emmaüs. *Mansions* et acteurs sont présents sur l'aire de jeu tout au long de la représentation. Le changement de lieu et l'écoulement de la durée sont fonction des déplacements des personnages d'une *mansion* à l'autre. L'espace théâtral apparaît ainsi et simultanément comme un espace discontinu et comme une scène unique qui renvoie à (reflète) l'unité du monde.

Le terme de *jeu* que les copistes des manuscrits emploient à partir du XIIIe siècle pour désigner les textes de théâtre, quel qu'en soit par ailleurs le contenu, profane ou religieux, insiste sur la dimension ludique, festive, du texte, sur son caractère de spectacle mais aussi sur l'importance des éléments extra-textuels, sur la mise en espace, en action, en gestes, en parole, etc., du texte-support.

Origines

Il n'existe aucune continuité repérable entre le théâtre latin et les formes dramatiques médiévales. Le théâtre médiéval apparaît comme un commencement absolu dont les premières manifestations, d'inspiration religieuse, sont liées à la liturgie. À partir du Xe siècle ont été composés en latin des textes (chantés) qui dramatisent, mettent en scène, miment dans l'espace de l'église des passages clés de l'office de Pâques, de la Nativité, etc. Ont été ainsi dramatisés le récit évangélique racontant la venue des Saintes Femmes au tombeau du Christ le dimanche de Pâques et leur dialogue avec l'Ange, l'Adoration des bergers, la procession de personnages de l'Ancien Testament annonçant la venue du Christ *(Ordo Prophetarum),* etc. L'intention première de ces « drames liturgiques » fut sans doute de rendre plus sensibles, plus concrets à la masse des fidèles, les grands mystères chrétiens, de les re-présenter, de les actualiser comme le feront plus tard les Passions. À la fin du XIe siècle le *Sponsus,* qui met en scène la Parabole des Vierges sages et des Vierges folles, thème également fréquent dans l'iconographie, introduit dans le texte latin des refrains et des répliques en occitan.

Le Jeu d'Adam (Ordo representacionis Ade)

Au XIIe siècle, le répertoire du drame liturgique s'est développé. De nouveaux sujets sont repris à l'Ancien Testament ou aux Vies de saints : ainsi des compositions du clerc Hilarius, mettant en scène la résurrection de Lazare ou un miracle de saint Nicolas. Mais une mutation décisive intervient avec le *Jeu d'Adam,* dans lequel, pour la première fois, les parties dialoguées et versifiées en français, qui se développent de façon quasi autonome à partir des chants liturgiques (les répons), constituent l'essentiel du texte.

Fondé sur des textes liturgiques, le *Jeu* met en scène l'histoire de la Chute et du péché originel (autour de la scène capitale de la séduction d'Ève par le diable) et le meurtre d'Abel par Caïn, mais se termine sur la procession des Prophètes annonçant le Messie et un sermon sur le Jugement dernier. Il offre ainsi une vision cyclique et totalisante de l'histoire chrétienne, de la Chute à la

Rédemption. On a souvent signalé le caractère réaliste d'un texte qui renvoie à la réalité contemporaine (qui traduit notamment en termes de relation féodale la relation de l'*homme* Adam à son *seigneur* Dieu) et qui fait une large place à la psychologie des personnages, d'Ève en particulier. Méditation sur la Chute et le péché originel, sur l'origine de la violence (le meurtre d'Abel), ce jeu destiné à un public aristocratique aurait aussi (M. Accarie, ouvr. cit.) une dimension politique, tendrait à légitimer l'ordre féodal tout en le soumettant à l'ordre divin.

Le drame religieux au XIIIe *siècle*

Par son sujet le *Jeu de saint Nicolas* de Jean Bodel (vers 1200) appartient sans doute au théâtre religieux. Mais l'espace arrageois dans lequel se déroule une part importante de l'action (la taverne hantée par les voleurs), l'alternance de scènes comiques, de scènes épiques, d'interventions surnaturelles, font de ce jeu un texte inclassable qui annonce l'avènement du théâtre profane.

Une constante du théâtre médiéval religieux est de s'approprier, pour les « dramatiser », d'autres types de textes (liturgiques, hagiographiques, parabole évangélique de l'Enfant prodigue dans *Courtois d'Arras*) et d'autres formes de discours : les Passions dramatiques du XIVe siècle s'inspireront ainsi de textes narratifs antérieurs comme la *Passion des Jongleurs* (XIIe siècle).

Cette procédure est caractéristique du *Jeu de saint Nicolas,* dans lequel Jean Bodel (qui a composé aussi bien une chanson de geste, que des fabliaux, que des *Congés*) reprend à la chanson de geste l'idéal de la croisade, mais aussi la représentation caricaturale des Sarrasins, reprend à l'univers du fabliau les truands de la taverne, leurs activités louches, leur goût immodéré du vin, leur langage truculent voire argotique, tout en composant un « miracle » dans lequel, suivant la tradition, le saint vient récompenser la dévotion de son fidèle serviteur.

Reste que la coexistence d'éléments, d'univers aussi disparates laisse largement ouvert le sens d'un *jeu* dans lequel on a vu « une vision réaliste du quotidien » (J.C. Aubailly), une « réflexion sur l'échec temporel de la croisade » (M. Zink, *Romania,* 1978, p. 31-46) ou la mise en scène d'un « univers idéal où l'or et la foi coexistent dans l'harmonie » (J.-Ch. Payen, *Romania,* 1973, p. 484-499).

Dans son *Miracle de Théophile,* Rutebeuf met en scène l'un des plus célèbres miracles de la Vierge, qui ouvre la collection des *Miracles de Notre Dame* de Gautier de Coincy et est également très présent dans l'iconographie médiévale (voir par exemple le tympan du portail latéral nord de Notre-Dame de Paris). Dans une trame bien connue de son public, Rutebeuf découpe comme à l'emporte-pièce des séquences d'une très forte intensité dramatique : pacte du clerc avec le diable et son suppôt, Salatin ; Théophile écrasant ses amis de son nouveau pouvoir ; repentir de Théophile et prière à la Vierge ; affrontement décisif de Notre Dame et du diable. Ces séquences sont autant d'occasions pour l'écrivain d'exploiter toutes les ressources du langage dramatique, tous les niveaux de style : dialogues, monologues délibératifs et lyriques, formule de conjuration dans une langue inventée, tandis que les vers de la *Repentance* fondent de vertigineux jeux de mots et de rimes dans le rythme hiératique des quatrains.

Adam de la Halle et l'avènement du théâtre profane

Les deux jeux dramatiques d'Adam de la Halle, le *Jeu de la Feuillée* et le *Jeu de Robin et de Marion,* s'inscrivent dans la double lignée du « théâtre arrageois » et de la dramatisation (déjà observée ailleurs) d'autres formes littéraires. Le *Jeu de Robin et de Marion* dans lequel alternent dialogues, chansons, danses et jeux, met en scène les deux formes « canoniques » de la pastourelle (voir p. 94) : la rencontre entre la bergère et le chevalier et la représentation des divertissements et des amours champêtres des bergers.

Le *Jeu de la Feuillée* — le terme de *feuillée,* en picard « *folye* », désigne aussi bien la loge de verdure où est placée la châsse de Notre-Dame-des-Ardents, et où sera disposé le repas des fées, que la folie, motif central de la pièce — reprend l'espace-temps arrageois et son centre névralgique, la taverne, dramatise d'autre part la forme lyrique du *congé* : un *je,* ici identifiable à Adam, à l'auteur du *congé*/du *jeu,* vient dire sur scène son désir d'échapper à la vie arrageoise et à sa condition d'homme marié, de changer ses vêtements laïcs pour endosser de nouveau l'habit du clerc (voir le v. 1 du *Jeu* : *Segneur, savés pour quoi j'ai mon abit cangiet ?*). Pièce très complexe, le *Jeu de la Feuillée* a appelé et appelle des interprétations multiples. Cette revue satirique, qui prend comme cible des personnages représentatifs de la ville d'Arras, qui prend parti dans les querelles et les problèmes qui divisent cette ville et ce temps (celui des clercs bigames par exemple), est aussi interrogation plus fondamentale sur le sens, les valeurs, les fondements d'une société que régit absurdement la Roue de Fortune et sur laquelle la féerie elle-même n'a aucune prise. À travers le personnage d'Adam, c'est aussi et surtout le désarroi de l'homme, de l'amant, de l'écrivain, hanté par le désir de « changer », de se renouveler (à un moment clé de son existence ?) qui semble s'exprimer. La pièce retracerait ainsi, comme l'a dit J. Dufournet, « l'itinéraire moral et spirituel d'un poète » (trad. cit. p. 10) qui n'a pas réussi à échapper à la vie arrageoise, qui confesse son échec mais en rejette la responsabilité sur la folie et l'absurdité généralisées qui brouillent globalement les rapports des hommes à eux-mêmes et aux autres tels que les démonte peu à peu le jeu.

BIBLIOGRAPHIE

LE ROMAN ARTHURIEN EN VERS (fin XIIe-XIIIe siècles)

Éditions et/ou traductions de quelques romans

L'*Âtre périlleux,* éd. B. Woledge, Champion, CFMA, 1936.

Les Continuations du Conte du Graal, éd. W. Roach (Philadelphia, 6 vol., 1949-1983) : *Continuation Gauvain ; Continuation Perceval ; Continuation de Manessier.*

Durmart le Galois, éd. J. Gildea, 2 vol., Villanova, Pennsylvania, 1965-1966.

Gerbert de Montreuil, *la Continuation Perceval,* éd. M. Williams (t. 1 et 2) et M. Oswald (t. 3), Champion, CFMA, 1925 et 1975.

Guillaume le Clerc, *Fergus,* éd. W. Frescoln, Philadelphia, 1983.

Hue de Rotelande, *Ipomédon,* éd. A.J. Holden, Klincksieck, 1979.

Jaufré, éd. R. Lavaud et R. Nelli dans *les Troubadours,* t. 2, Desclée de Brouwer, 1960.

Raoul de Houdenc, *Méraugis de Portlesguez, éd. M. Friedwagner, Slatkine Reprints, 1975.*

Renaut de Bâgé, *le Bel Inconnu,* éd. G.P. Williams, Champion, CFMA, 1929 ; trad. M. Perret et I. Weill, *ibid.,* 1988.

Yder, éd. A. Adams, Brewer, 1983.

Étude d'ensemble

M.-L. Chênerie, *le Chevalier errant dans les romans arthuriens en vers des XIIe et XIIIe siècles,* Droz, 1986.

LA CHRONIQUE HISTORIQUE HISTORIQUE AUX XIIe et XIIIe SIÈCLES

Éditions

Benoît, *la Chronique des Ducs de Normandie,* éd. C. Fahlin, 3 vol., Upsal, 1951-1979.

Geoffroy de Villehardouin, *la Conquête de Constantinople,* éd. J. Dufournet, Garnier-Flammarion, 1969.

Jean de Joinville, *la Vie de saint Louis,* éd. N.-L. Corbett, Sherbrooke, Québec, 1977.

Robert de Clari, *la Conquête de Constantinople,* éd. Ph. Lauer, Champion, CFMA, 1956.

Wace, *le Roman de Rou,* éd. A.J. Holden, 3 vol., SATF, 1970-1973.

Études

J. Dufournet *les Écrivains de la quatrième croisade, Villehardouin et Clari,* 2 vol., SEDES, 1973.

LES PROSES DU GRAAL

Éditions et/ou traductions

Le Lancelot en prose, éd. A. Micha, 9 vol., Droz, TLF, 1978-1983. Trad. A. Micha, 2 vol., 10/18, 1983-1984.

Merlin, roman en prose du XIIIe s., éd. A. Micha, Droz, TLF, 1979.

Merlin le prophète ou Le Livre du Graal (trad. du *Merlin* en prose), trad. E. Baumgartner, Stock Plus, 1980.

Perlesvaus, éd. W.A. Nitze et T.A. Jenkins, 2 vol., The University of Chicago Press, 1932.

La Queste del saint Graal, éd. A. Pauphilet, Champion CFMA, 1923. Trad. E. Baumgartner, *ibid,* 1979.

Le Roman du Graal (la trilogie attribuée à Robert de Boron), éd. B. Cerquiglini, 10/18, 1981.

Le Tristan en prose, éd. R.L. Curtis, 3 vol., Brewer (éd. de la première partie du roman), et éd. Ph. Menard, *Le Roman de Tristan en prose,* t. 1, Droz, TLF, 1987.

Études

E. Baumgartner, *le Tristan en prose,* Droz, 1975 ;
— *l'Arbre et le Pain, essai sur la Queste del saint Graal,* SEDES, 1981.

J. Frappier, *Étude sur la Mort le Roi Artu,* 2e éd., Droz, 1961.

E. Kennedy, *Lancelot and the Grail, A study of the Prose Lancelot,* Oxford, Clarendon Press, 1986.

R. Lathuillère, *Guiron le Courtois, étude de la tradition manuscrite et analyse critique,* Droz, 1966.

F. Lot, *Étude sur le Lancelot en prose,* Champion, 1918.

Ch. Méla, *la Reine et le Graal, la conjoncture dans les romans du Graal,* Le Seuil, 1981.

A. Micha, *Étude sur le Merlin de Robert de Boron,* Droz, 1980.

A. Pauphilet, *Études sur la Queste del saint Graal,* Champion, 1921.

LA FICTION RÉALISTE

Éditions et/ou traductions

Amadas et Ydoine, éd. J. Reinhard, Champion, CFMA, 1974.

Aucassin et Nicolette, éd. et trad. J. Dufournet, Garnier-Flammarion, 1984.

Flamenca, éd. et trad. R. Lavaud et R. Nelli dans *les Troubadours,* t. II, Desclée de Brouwer, 1960.

Gautier d'Arras, *Ille et Galeron,* éd. F. Cowper, SATF.

Gerbert de Montreuil, *le Roman de la Violette ou Girart de Vienne,* éd. D. Buffum, SATF.

Jakeme, *le Roman du Châtelain de Coucy et de la dame du Fayel,* éd. M. Delbouille, SATF, et trad. A. Petit et F. Suard, éd. Corps 9, Lille, 1986.

Jean Maillart, *le Roman du Comte d'Anjou,* éd. M. Roques, Champion, CFMA, 1974.
Jean Renart, *l'Escoufle,* éd. F. Sweetser, Droz, TLF, 1974 ;
— *le Roman de la Rose ou Guillaume de Dole,* éd. F. Lecoy, 1962, et trad. J. Dufournet et alii, *ibid.,* 1979.
Philippe de Rémi, *Jehan et Blonde,* éd. 1984 et trad. 1987. S. Lecuyer, Champion, CFMA ;
— *la Manekine,* trad. Ch. Marchello-Nizia, Stock Plus, 1980.
Renaut, *Galeran de Bretagne,* éd. L. Foulet, Champion, CFMA, 1925.
Richars li Biaus, éd. A.J. Holden, Champion, CFMA, 1983.

Études

R. Lejeune, *l'Œuvre de Jean Renart,* Liège, 1935.
M. Zink, *Roman rose et Rose rouge. Le Roman de la Rose ou de Guillaume de Dole de Jean Renart,* Nizet, 1979.

LE ROMAN DE LA ROSE ET L'ÉCRITURE ALLÉGORIQUE

Éditions et/ou traductions

Gervais du Bus, *le Roman de Fauvel,* éd. A. Långfors, SATF.
Guillaume de Lorris et Jean de Meun, *le Roman de la Rose,* éd. F. Lecoy, 3 vol., Champion, CFMA, 1965-1970 ; trad. A. Lanly, 3 vol., *ibid.,* 1983, éd. D. Poirion, Garnier-Flammarion, 1974.
Huon de Méry, *le Tournoiement de l'Antéchrist,* éd. M. Bender, 1970.
Jacquemart Giélée, *Renart le Nouvel,* éd. H. Roussel, SATF.
L'Ovide Moralisé, éd. C. de Boer, 5 vol., Amsterdam, 1915-1936.
Philippe de Mézières, *le Songe du Vieil Pelerin,* éd. G.-W. Coopland, 2 vol., Cambridge University Press, 1969.
Raoul de Houdenc, *le Roman des Ailes,* éd. K. Busby, 1983.
Renart le Contrefait, éd. G. Raynaud et H. Lemaitre, 2 vol., Paris, 1914.
Richard de Fournival, *le Bestiaire d'Amour,* éd. C. Segre, Milan-Naples, 1957, trad. G. Bianciotto dans *Bestiaires,* ouvr. cit.
Le Songe du Verger, éd. M. Schnerb-Lièvre, 2 vol., éd. du CNRS, 1982.
Tibaut, *le Roman de la Poire,* éd. Ch. Marchello-Nizia, SATF, 1985.

Études

Sur le Roman de la Rose

J. Batany, *Approches du Roman de la Rose,* Bordas, 1973.
J.-Ch. Payen, *la Rose et l'utopie,* éd. sociales, 1976.
D. Poirion, *le Roman de La Rose,* Paris, Hatier, 1973.
A. Strubel, *le Roman de la Rose,* PUF, 1984.

Toutes ces études donnent des bibliographies détaillées.

Sur l'influence du Roman et sur la Querelle

P.-Y. Badel, *le Roman de la Rose au XIVe s. Étude de la réception de l'œuvre,* Droz, 1980.
E.-C. Hicks, *le Débat sur le Roman de la Rose,* éd. crit., Champion, 1977.
Sur la littérature allégorique
A. Strubel, Chap. VIII du *Précis de littérature française du Moyen Âge,* ouvr. cit.

LES FORMES BRÈVES

Éditions et/ou traductions

Dits
Dit du Mercier, éd. Ph. Ménard, *Mélanges J. Frappier,* t. 2, Paris, 1970.
Dit de la Maille, éd. Ph. Ménard, *Mélanges P. Le Gentil,* Paris, 1973.
Dits de Rutebeuf, éd. E. Faral-J. Bastin, Paris, 2 vol., 1959-1969.
Lais anonymes
Éd. P. Tobin, Droz, 1976. Voir aussi *le Cœur Mangé. Récits érotiques et courtois des XIIe et XIIIe s.,* traduits par D. Regnier, Stock Plus, 1979.
Fabliaux
A. Montaiglon et G. Raynaud, *Recueil général et complet des fabliaux des XIIIe et XIVe s.,* Paris, 1872-1890, 6 vol.
Nouveau recueil complet des fabliaux publié par W. Noomen et N. Van Den Boogard, 2 vol. parus, Van Gorcum, 1983.
Ph. Ménard, *Fabliaux français du Moyen Âge,* TLF, Droz, 1979.
N. Scott, *Contes pour rire ? Fabliaux des XIIIe et XIVe siècles,* (en traduction), 10/18, 1977.
Roman de Renart
Éd. et trad. par M. de Combarieu du Grès et J. Subrenat, 2 vol., 10/18, 1981 ;
par J. Dufournet et A. Méline, 2 vol., Garnier-Flammarion 1985.
Contes et Nouvelles
La *Châtelaine de Vergy,* éd. et trad. R. Stuip, 10/18, 1985.
La *Fille du Comte de Ponthieu,* éd. Cl. Brunel, CFMA, 1926.
Le *Lai de l'Ombre,* éd. F. Lecoy, CFMA, 1979.
Le *Vair Palefroi,* éd. A. Långfors, CFMA, 1957, et trad. J. Dufournet, *ibid.,* 1977.
Les *Vies des troubadours,* trad. M. Egan, 10/18.

Études

Sur les formes brèves
R. Dubuis, *les Cent Nouvelles nouvelles et la tradition de la nouvelle en France au Moyen Âge,* Presses universitaires de Grenoble, 1973.

N. Scott, *Contes pour rire ?* ouvr. cit.
P. Zumthor, *Essai de poétique médiévale...* p. 378-404.
Sur les fabliaux
J. Bédier *les Fabliaux,* Paris, 5e éd., 1925.
D. Boutet, *les Fabliaux,* PUF, 1985.
Ph. Ménard, *les Fabliaux, contes à rire du Moyen Âge,* PUF, 1983.
P. Nykrog, *les Fabliaux,* Copenhague, 1957.
J. Rychner, *Contribution à l'étude des fabliaux,* 2 vol., Genève, Droz, 1960.
Sur le Roman de Renart
R. Bossuat, *le Roman de Renart,* Paris, Hatier, 2e éd., 1957.
L. Foulet, *le Roman de Renart,* Champion, 1914.
C. Reichler, *la Diabolie, la Séduction, la Renardie, l'Écriture,* éd. de Minuit, Paris, 1979.
Sur la Châtelaine de Vergy
Pal Lakits, *la Châtelaine de Vergy et l'évolution de la nouvelle courtoise,* Debrecen, 1966.
P. Zumthor, *Langue, Texte, Énigme,* éd. du Seuil, Paris, 1975, p. 219 et sq ; voir également sur les *Vidas,* ibid., p. 179 et *sq.*

LA PAROLE POÉTIQUE

Éditions et/ou traductions

Congés
P. Ruelle, *les Congés d'Arras (Jean Bodel, Baude Fastoul, Adam de la Halle),* PUF, 1965.
Rutebeuf
Œuvres complètes, éd. E. Faral et J. Bastin, 2 vol., Picard, 1969.
Poèmes de l'infortune et autres poèmes, éd. et trad. J. Dufournet, Poésie/Gallimard, 1986.

Études

N. Regalado, *Poetic Patterns in Rutebeuf : A Study in non courtly poetic modes of the thirteenth century,* Yale, University Press, 1970.
P. Zumthor, Essai... p. 405 et *sq.,* et dans *Langue, Texte, Énigme,* ouvr. cit., voir : *le je de la chanson et le moi du poète.*

LA LITTÉRATURE MORALE ET DIDACTIQUE

Éditions et/ou traductions

Alard de Cambrai, *le Livre de Philosophie,* éd. J.-Ch. Payen, Klincksieck.
Brunetto Latini, *le Livre du Trésor,* éd. F. Carmody, Berkeley-Los Angeles, 1948.
Le Chevalier au Barisel, éd. F. Lecoy, CFMA, 1955.

Ensehamens aux jongleurs, éd. trad. et analyse par F. Pirot *Recherches sur les connaissances littéraires des troubadours occitans et catalans des* XIIe *et* XIIIe *s.,* Barcelone, 1972.

Étienne de Fougères, *Livre des manières,* éd. R.-A. Lodge, TLF, Droz, 1979.

Exempla : Prêcher d'exemples : Récits de prédicateurs du Moyen Âge, présentés par J.-Cl. Schmitt, Stock Moyen Âge, 1985.

Gautier de Coincy, *les Miracles de Notre-Dame,* éd. F. Koenig, 4 vol., Droz, 1966-1970.

Vierge et Merveille, les miracles de Notre-Dame narratifs au Moyen Âge, éd. et trad. P. Kunstmann, 10/18, 1981.

Guillaume le Clerc, *le Besant de Dieu,* éd. P. Ruelle, Bruxelles, 1973.

Hélinand de Froidmont, *Vers de la Mort,* texte suivi d'une trad., par M. Boyer et M. Santucci, Champion, 1983.

Philippe de Novare, *les Quatre Ages de l'Homme,* éd. M. de Fréville, SATF.

— *Mémoires,* éd. Ch. Kohler, CFMA.

Vie de sainte Marie l'Égyptienne, éd. P. Dembowski, Droz, 1976.

Vie des Pères, éd. F. Lecoy, SATF, 1988.

Études

Sur la littérature didactique

Grundriss, ouvr. cit., vol. VI, t. 1 et 2.

Sur la littérature religieuse et morale

J.-Ch. Payen, *le motif du repentir,* ouvr. cit., p. 489-590.

Sur la prédication

M. Zink, *la Prédication en langue romane avant 1300,* Champion, 1982.

Sur les proverbes

E. Schulze-Busacker, *Proverbes et Expressions proverbiales dans la littérature narrative du Moyen Âge français...* Champion, 1985.

Sur la didactique amoureuse

l'Érotisme au Moyen Âge, ouvr. présenté par B. Roy, Montréal, L'Aurore.

LE JEU DRAMATIQUE

Éditions et/ou traductions

Adam de la Halle, *le Jeu de Robin et Marion,* éd. E. Langlois, Champion, 1924. *Le Jeu de la Feuillée,* éd. E. Langlois, *ibid.,* 1922 ; trad. J. Dufournet, Gand, 1977.

Courtois d'Arras, éd. E. Faral, Champion, CFMA, 1967.

Le Garçon et l'Aveugle, éd. M. Roques, *ibid.,* 1911 ; trad. et dossier par J. Dufournet, *ibid.,* 1981.

Jean Bodel, *le Jeu de Saint Nicolas,* éd. A. Henry, Droz, Genève, 1980 ; trad. dans l'éd. A. Henry, Bruxelles, 1981.

Le Jeu d'Adam, éd. P. Aebischer, Droz, Genève, 1964.
Rutebeuf, *le Miracle de Théophile,* éd. G. Franck, Champion, CFMA, 1925, trad. R. Dubuis, *ibid.,* 1978.

Études

J. Duvignaud, *les Ombres collectives, essai de sociologie théâtrale,* PUF, Paris, 1977 (1re partie).
G. Franck, *The Medieval French Drama,* Oxford, 1954.
E. Konigson, *l'Espace théâtral médiéval,* CNRS, 1975.
Pages de synthèse dans P. Zumthor, *Essai...* pp. 429-449 ; voir aussi J.-P. Bordier dans *Précis de littérature française du Moyen Âge...* p. 176-185.

Sur le théâtre religieux

M. Accarie, *le Théâtre sacré à la fin du Moyen Âge,* Droz, Genève, 1979.

Sur le théâtre profane

J.-C. Aubailly, *le Théâtre médiéval profane et comique,* Larousse, Paris, 1975 (Thèmes et textes).

Sur Jean Bodel

A. Henry, éd. cit. *supra.*
H. Rey-Flaud, *Pour une dramaturgie du Moyen Âge,* PUF, 1980.

Sur Adam de la Halle

J. Dufournet, *Adam de la Halle à la recherche de lui-même ou le jeu dramatique de la Feuillée,* SEDES, Paris, 1974.
— *Sur le Jeu de la Feuillée, Études complémentaires,* SEDES, 1977.

RENOUVELLEMENTS : 1340-1480

La coupure que l'histoire littéraire pratique traditionnellement entre les XIIIe et XIVe siècles correspond, au plan historique, au début d'une crise politique, économique, démographique, qui a affecté progressivement l'ensemble de l'Europe (voir p. 27). Elle tient compte de l'importante modification linguistique qu'est alors le passage de l'ancien français au moyen français (voir p. 57). Elle est également justifiée par les changements qu'on peut observer dans les formes littéraires, dans le statut de l'écrivain au sein de la société, dans la réflexion menée sur les conditions de la création.

Un trait immédiatement repérable est le développement de la prose littéraire qui se substitue progressivement au vers dans le domaine du roman et de la chanson de geste et qui est alors l'outil par excellence de la chronique historique et des très nombreux textes à valeur documentaire, didactique, morale.

La prose aux XIVe et XVe siècles — bien des traducteurs et des écrivains s'efforcent alors de transposer le rythme, l'ampleur, la syntaxe élaborée, le vocabulaire abstrait, scientifique, technique de la prose latine — apparaît souvent empêtrée, lourde, redondante par rapport à la prose du XIIIe siècle. Mais il existe bien des degrés, bien des nuances, entre la prose de Froissart, au contact du spectacle du monde, la prose souvent très travaillée de Christine de Pizan, savamment entremêlée de citations érudites, la prose d'apparât, parfois somptueuse, souvent guindée, des chroniqueurs de la maison de Bourgogne ou la prose oratoire de Jean Gerson ou d'Alain Chartier.

Il n'est pas possible d'étudier dans le détail le domaine de plus en plus ouvert de la littérature didactique, morale, documentaire, dont nous avons évoqué quelques aspects pour le XIIIe siècle. On ne rappellera donc que pour mémoire :

— Le développement des traductions (voir p. 50).

— Les nombreux « miroirs au prince », ouvrages réfléchissant une image idéale de la royauté ou s'interrogeant sur les pouvoirs de l'État, les relations entre royauté et papauté, comme le *Songe du Vieil Pèlerin* de Philippe de

Mézières, le *Songe du Vergier,* l'*Arbre des Batailles* d'Honoré Bonet, sorte de traité de droit des gens, plusieurs textes de Christine de Pizan.

— Le courant fourni de la littérature misogyne, très présent dans les *Méditations* et *Lamentations* qui composent le *Registre* (ou Journal) de Gilles le Muisit à la fin du XIIIe siècle, que reprend Jean Le Fèvre dans sa traduction (vers 1370) des *Lamentations de Matheolus* et qui anime les grandes querelles littéraires et idéologiques que sont la *Querelle du Roman de la Rose* (voir p. 51), et la *Querelle* suscitée vers 1425 par la *Belle Dame sans mercy* d'Alain Chartier (voir p. 175). Les problèmes de la condition féminine sont également très présents dans l'œuvre de Christine de Pizan qui leur consacre par exemple sa *Cité des Dames* — réponse aux *Lamentations de Matheolus* — forteresse élevée grâce à Raison, Droiture et Justice à la défense et illustration de la femme, à la prise en compte de ses droits et revendications légitimes.

Dès le XIIIe siècle se dessinaient avec Jean Bodel, Rutebeuf, Adenet le Roi, etc., des figures d'écrivains polygraphes que l'on pourrait déjà considérer comme des professionnels de l'écriture ; auteurs au service d'une confrérie (comme Jean Bodel), d'une institution (Rutebeuf et les maîtres séculiers de l'Université ?), d'un grand seigneur. Ainsi d'Adenet le Roi (des ménestrels) au service, trente ans durant, de Guy de Dampierre, comte de Flandre, musicien, auteur de roman *(Cléomadés),* de chansons de geste et que son éditeur et biographe, A. Henry, a pu désigner comme « un des premiers auteurs gens de lettres » (ouvr. cit., t. 1, p. 11) ou de Jean de Condé (début du XIVe siècle), ménestrel de la cour de Hainaut.

Mais c'est surtout à partir du XIVe siècle que nous pouvons cerner de manière plus continue et plus précise des « carrières » d'écrivains. Écrire, cependant, n'est pas encore un métier à part entière. Clercs, hommes d'Église pourvus de bénéfices, ou laïcs-Guillaume de Machaut fut au service de Jean de Luxembourg comme clerc aumonier puis chanoine de Reims en 1335, Froissart, d'abord au service (1361) de Philippa de Hainaut, femme d'Édouard III, fut chanoine de Chimay (1373) puis chapelain de Guy de Blois (1386), Eustache Deschamps, protégé de

Louis d'Orléans, fut tour à tour militaire, juriste, fonctionnaire —, les auteurs les plus célèbres du XIVe siècle composent d'abord pour leurs protecteurs et les cours princières, même s'ils jouissent d'une certaine indépendance financière et morale. Et Christine de Pizan (1365-vers 1431), la première femme à vivre de son métier d'écrivain, les charges ecclésiastiques lui étant par définition interdites, ne fait pas exception à cette règle.

Le statut de semi-professionnel qu'acquiert alors l'écrivain rend peut-être compte d'un autre trait : le caractère souvent très diversifié de la production. Guillaume de Machaut compose de la musique religieuse et profane, des pièces lyriques, des « dits » lyrico-narratifs, une pièce d'inspiration épique comme la *Prise d'Alexandrie,* unit vers et prose dans le *Voir Dit.* Froissart rédige des *Chroniques,* compose un roman arthurien, *Méliador,* et de nombreuses pièces poétiques. Eustache Deschamps laisse une œuvre poétique très variée et très abondante, rédige un art poétique, écrit (peut-être pour le théâtre) un *Dit des quatre offices de l'ostel du roy* et la « farce » *de Mestre Trubert.* Certains chroniqueurs de la maison de Bourgogne comme Georges Chastellain et Jean Molinet, son successeur dans la charge d'historiographe officiel, sont aussi les poètes les plus intéressants de la première génération des grands rhétoriqueurs.

Mais Christine de Pizan est sans doute la plus représentative de cette tendance à s'approprier tous les domaines de la production littéraire avec une œuvre très vaste où alternent recueils et « dits » poétiques, traités historiques, didactiques, moraux, politiques, écrits sur les femmes, un écrit partiellement autobiographique comme l'*Avision Christine,* écrits « engagés » etc.

Quel que soit enfin le mode d'écriture pratiqué, écrire s'accompagne explicitement à partir du XIVe siècle d'une réflexion théorique. Réflexion diverse, portant sur la fonction par exemple des chroniques historiques, sur la recherche et l'authenticité des sources, des témoignages, sur l'*ordonnance* (un terme clé de cette période) du récit, théorisant des pratiques (dans les *Arts poétiques de seconde rhétorique*) ou s'interrogeant surtout, avec Guillaume de Machaut, sur les conditions mêmes de l'écriture, de la création poétique, et sur la situation du clerc dans son rapport à la noblesse et au prince.

La poésie aux XIVe et XVe siècles

Le vers, cette « musique naturelle »...

Adam de la Halle est, à la fin du XIIIe siècle, l'un des derniers poètes ou presque à composer des chansons dans la tradition formelle de la lyrique courtoise. Ses rondeaux et motets préludent en revanche à l'essor, au XIVe siècle, des genres poétiques à forme fixe : lais, chants royaux, ballades, rondeaux, virelais, pastourelles, qui cofidient et développent des formes déjà pratiquées au XIIIe siècle parallèlement au « grand chant » courtois.

Composé vers 1340, le *Remède de Fortune* de Guillaume de Machaut, qui inclut dans un texte narratif en octosyllabes un exemple de chacun de ces genres (à l'exception de la pastourelle), en fixe à la fois les règles poétiques et musicales et la hiérarchie, de la forme complexe du lai à la forme plus simple du rondeau.

Proche du descort, le lai, forme bien représentée dans l'œuvre de Machaut, est une suite de douze strophes à leur tour divisées en demi-strophes. Chaque strophe diffère des autres par le mètre, le nombre des vers et les rimes, sauf la première et la dernière strophe, de structure identique. Issus de la chanson de danse, ballades, rondeaux et virelais sont des formes à refrain.

La ballade comporte trois strophes de structure identique, qui s'achève chacune sur un refrain d'un ou deux vers. D. Poirion a justement souligné combien ces « proportions triangulaires », la répartition tripartite des mots, des rimes, des images, donnaient à la ballade son « mouvement propre..., un enchaînement logique auquel l'inspiration du poète doit se soumettre » (*Le Poète et le Prince,* p. 374). La ballade se termine (mais pas encore chez Machaut) sur une strophe plus courte ou envoi, qui reprend également le refrain et qui débute souvent par le vocatif « Prince ».

Forme circulaire, bouclée sur elle-même, à l'image de la carole, le rondeau sous sa forme la plus simple est de structure *A B a A a b A B* (les majuscules désignant les vers refrain). Dans l'espace très mesuré de cette forme brève s'opposent ainsi/se répondent le refrain qui « représente la voix impersonnelle de la société et de la tradition » (D. Poirion, ouvr. cit., p. 319) et la voix propre du poète. Au XVe siècle, et notamment chez Charles d'Orléans qui après 1440 a essentiellement composé des rondeaux, se développe le rondeau à quatrains du type *ABBA* ou à cinquains *(AABBA)* qui, sans détruire l'équilibre entre les deux « voix », donne plus d'espace à l'intervention du poète, exige une intégration plus subtile du refrain et, reprenant le vers initial comme vers final, accentue encore la circularité du poème. Fondés sur la répétition et la reprise, rondeaux, ballades et virelais jouent ainsi du dialogue entre strophe et refrain, entre l'énoncé d'une parole unique, engagée dans le devenir du temps, et l'éternel retour du refrain, du « thème » fondateur de l'invention poétique.

La structure de ces genres est à l'origine une structure musicale. Guillaume de Machaut compose encore des ballades et rondeaux notés qu'il distingue (dans les recueils exécutés sous sa direction) de ses pièces non lyriques, beaucoup plus nombreuses (l'ensemble, par exemple, des deux cent soixante-quatorze ballades, chansons royales et rondeaux de *La Louange des Dames*). Les ballades non notées de son disciple Eustache Deschamps puis de Froissart et de Christine de Pizan consacrent la dissociation de la poésie et de la musique.

Cette dissociation a sans doute incité les écrivains à exploiter les ressources proprement musicales du langage. Eustache Deschamps oppose ainsi, dans son *Art de Ditier,* la *musique naturelle* des paroles *métrifiées* à la *musique artificielle,* instrumentale. En l'absence de la musique, ont été recherchés et privilégiés les effets de sons, de rythmes, la qualité des rimes et les jeux divers, phoniques, sémantiques (rimes riches, léonines, équivoquées) qu'elles autorisent. Recherches que mèneront jusqu'à leur point de rupture les grands rhétoriqueurs et qui sont codifiées dans de nombreux arts poétiques, *Arts de seconde rhétorique* des XIVe et XVe siècles, *Art de Dictier et fere chansons* d'Eustache Deschamps.

Les ballades de Machaut, de Froissart, de Christine de Pizan, les ballades de Charles d'Orléans antérieures à l'exil sont très généralement des ballades consacrées à l'amour, dans la tradition de la thématique et de l'éthique courtoises, même si au *joi* des troubadours (voir p. 87) se substituent la recherche et la célébration de Plaisance, un mot clé de cette poésie. Mais la ballade est aussi le lieu, et déjà chez Machaut, d'une réflexion plus intellectuelle, plus doctrinale sur l'amour, l'exemple le plus net étant sans doute l'ensemble des quatre ballades, dialogue entre Nature, Amour et le poète, qui ouvre le prologue général de l'œuvre du maître de Reims.

Beaucoup plus diverse est la production poétique de son « disciple », Eustache Deschamps, dont les ballades, rondeaux et virelais prennent souvent leurs distances vis-à-vis de la courtoisie, chantent parfois très crûment des amours plus faciles, sont le lieu de considérations morales sur les sujets les plus divers, s'ouvrent très largement aux échos du monde, de l'univers sensible, des événements politiques (voir p. 186), font enfin du poète, de l'homme voluptueux, sensible aux plaisirs et à l'amour, puis vieillissant, désabusé, aigri, confronté à la mort, leur sujet de prédilection.

Composées par des poètes qui écrivent pour le public des cours, ces pièces sont aussi des pièces de commande, destinées à la *Louange des Dames* (titre d'un ensemble de ballades et rondeaux de Machaut), même si le poète puise ou feint de puiser dans son expérience personnelle de l'amour. Les pièces lyriques du *Voir Dit* (voir p. 171) sont à cet égard très intéressantes dans la mesure où Machaut les présente comme l'expression personnelle, vécue, d'une « liaison » amoureuse.

La tension perceptible chez Machaut, mais aussi chez Christine de Pizan (voir, dans les *Cent Ballades d'amant et de dame,* la ballade prologue, éd. cit.), entre l'état d'esprit du poète et la « demande » du public se résout chez Charles d'Orléans. Sans doute « le caractère autobiographique de la plupart des poésies » du prince poète est loin d'être aussi évident que le croyait P. Champion (éd. cit., p. V) ; mais l'organisation de l'œuvre poétique telle que la donne le manuscrit autographe B. N. fr. 25458 permet peut-être de retrouver un itinéraire sentimental et intellectuel où Amour et Plaisance s'effacent progressivement devant l'ombre portée par Ennui, Tristesse, Mélancolie et Nonchaloir.

Le temps des recueils

Temps où l'écrivain (le poète mais aussi le chroniqueur) réfléchit sur sa création et tente d'en codifier la production, les XIVe et XVe siècles sont aussi le temps des recueils dans lesquels le poète dispose son œuvre, en fixe l'ordonnance. Guillaume de Machaut place en tête de ses œuvres (par exemple au début du manuscrit B. N. fr. 1584) un prologue qui est à la fois un art poétique et un art musical et que viennent illustrer/commenter deux enluminures : Nature présentant à Guillaume ses « enfants », Sens, Rhétorique et Musique ; Amour et ses « enfants », Doux-Penser Plaisance et Espérance exhortant le poète à écrire, à l'invitation de Nature. L'œuvre entière est ainsi placée sous le double signe des talents, des compétences nécessaires à l'écrivain, *et* du désir amoureux, élan vital de la création poétique.

Plusieurs manuscrits de Christine de Pizan montrent également l'auteur en train d'écrire, tandis que le début du *Livre de Mutacion de Fortune* raconte la métamorphose subie par la jeune femme (son veuvage), condition nécessaire et ambiguë (il a fallu qu'elle se transforme en homme) de sa naissance à l'écriture. Un autre trait caractéristique est la constitution de recueils poétiques et/ou narratifs (les cent histoires de l'*Epistre Othéa,* les *Cent ballades d'amant et de dame* de Christine, les *Cent Nouvelles nouvelles,* etc.) qu'organise le nombre *C,* symbole de la perfection circulaire. Organisation qui « manifeste à son point extrême (comme l'a justement dit J. Cerquiglini, éd. cit., p. 7), une tension entre une double esthétique : esthétique du discontinu, de la pièce, esthétique du continu, de la ligne ».

Mais recueillir, ce peut être aussi projeter dans un récit, en vers ou en prose, des poésies/des fragments lyriques. Pratique déjà très présente dans le roman au XIIIe siècle (voir p. 130) que reprend par exemple Froissart dans son roman de *Méliador* et que mène à sa perfection le *Voir*

Dit de Guillaume de Machaut. Le sujet littéral du récit (le texte en prose) est la relation amoureuse que tente de vivre le clerc vieillissant avec une jeune fille noble. Mais le texte met aussi en scène les conditions (et les aléas) d'une création poétique fondée sur le désir tout en insérant les pièces lyriques composées tantôt par le clerc, tantôt par son amie, fruits et traces sensibles de leur aventure sentimentale et poétique.

« La Fontaine amoureuse » *et autres « dits »*

Héritiers de la lyrique courtoise mais également très influencés par le *Roman de la Rose,* les poètes ont développé, à la suite de Guillaume de Machaut, la forme plus souple du « dit » (et la forme voisine du *débat*) qui accueille aussi bien l'effusion lyrique, la confidence personnelle que la mise en récit, la mise en question de l'expérience amoureuse ou autre. Un texte particulièrement représentatif des multiples possibilités du « dit » lyrico-narratif est la *Fontaine amoureuse* ou *Livre de Morphée* de Guillaume de Machaut (vers 1360-1361).

Ce « dit » reprend au *Roman de la Rose* le motif du songe et le cadre du verger ; mais ici ce sont les deux personnages principaux, le clerc et le seigneur amoureux, séparé de sa dame (il s'agit de Jean de Berry, contraint à l'exil aux termes du traité de Brétigny), qui rêvent simultanément dans ce verger où l'on retrouve la Fontaine de Narcisse, la Fontaine amoureuse, ici ornée de sculptures dues à Pygmalion... Le texte est construit sur l'alternance de passages narratifs (1720 octosyllabes à rimes plates), de deux passages lyriques en strophes, la *Complainte de l'Amant* et le *Confort de la Dame,* et d'un rondeau (en tout 1 128 vers). La *Complainte de l'Amant,* que dans la fiction mise en place surprend et « note » Machaut, le clerc poète, représente un tour de force avec ses cent rimes *toutes despareilles.* Le rêve que fait le clerc, mais aussi la *Complainte,* sont l'occasion d'enchâsser dans « le dit » des récits mythologiques et/ou historiques, comme l'histoire exemplaire d'un couple d'amants, Ceyx et Alcyone, réunis par le pouvoir de Morphée et dans l'au-delà de la métamorphose, ou la très longue évocation par Vénus des Noces de Pélée et du Jugement de Pâris.

Outre leur vocation didactique et leur fonction ornementale, ces récits dans le récit structurent le texte en « illustrant » les pouvoirs de Morphée, le dieu du sommeil et des songes ; mais le Jugement de Pâris, célébrant le Triomphe de Vénus et de l'amour, donne aussi une dimension cosmique à la passion toute humaine qui lie le seigneur et sa dame. Il faudrait enfin revenir sur la distribution des rôles et des rêves entre le seigneur et le clerc, et voir comment l'amitié, la complicité amoureuse et poétique qui les lient ne parviennent pas à triompher des différences sociales : le seigneur aime et rêve d'amour, le clerc « note » son rêve et sa plainte, leur conférant, par son savoir-faire poétique, son savoir mythologique et historique, sa culture littéraire, la dimension exemplaire qui en assure la pérennité.

Guillaume de Machaut n'est pas l'inventeur du « dit » (voir p. 138), mais il a donné à cette forme une impulsion et une orientation nouvelles en en accentuant déjà le côté personnel. Avec Machaut, le *je* de l'écrivain, de l'amant, plus souvent du confident, du clerc enseignant, débattant sur l'amour ou à l'écoute du monde, acquiert une présence de plus en plus insistante. Le motif du songe et/ou de la plainte surprise par l'écrivain, le cadre du verger d'amour, l'entrelacs plus ou moins habile du texte narratif, du récit mythologique, des pièces lyriques, se retrouvent chez les successeurs et les émules du poète : ainsi de l'*Espinette amoureuse* (entre 1365 et 1371), récit dans lequel Froissart évoque son enfance et son premier amour, et du *Joli Buisson de Jeunesse* (1373), retour et adieu du clerc devenu prêtre au « vert paradis des amours enfantines » et qui s'achève sur une longue prière à Notre Dame, en forme de lai.

La dimension morale et didactique du « dit » est déjà bien présente chez Machaut : art poétique, le *Remède de Fortune* est aussi, à partir d'une aventure amoureuse donnée comme personnelle, une réflexion sur les pouvoirs, les exigences et les intermittences d'Amour et de Fortune. Le *Confort d'ami* (1357), œuvre de caractère moral adressée à Charles de Navarre alors prisonnier de Jean le Bon, traite principalement des devoirs des rois et de la noblesse. Le *Temple d'Honneur* de Froissart, qui entrelace et célèbre dans une composition allégorique vertus chrétiennes et vertus courtoises, s'inscrit, entre autres, dans cette tradition.

Au verger, à la Fontaine amoureuse, les écrivains ont parfois préféré l'espace plus ouvert de la pastourelle (voir p. 94). Le cadre très souple de la fiction pastorale se prête à des discours, à des débats divers. Les bergers d'Eustache Deschamps débattent vers 1384-1385 de la politique à suivre vis-à-vis de l'Angleterre. Sept des vingt pastourelles de Froissart célèbrent et idéalisent des événements politiques de moindre importance. Le *Dit de la Pastoure* (1403) de Christine de Pizan unit au thème des amours pastorales le retour nostalgique de l'écrivain sur un bonheur perdu, sur un temps aboli, qui était aussi l'âge d'or de la courtoisie.

Par sa forme, son mode d'écriture, le *Livre du Cuer d'amour espris* (1457) de René d'Anjou qui affiche explicitement son « modèle arthurien », la *Quête du saint Graal,* appartient au genre du roman allégorique. Mais ce récit, où la quête de la *mercy* de la Dame se substitue à celle du Graal, où la prose est utilisée pour la narration et le vers pour l'échange amoureux et la parole essentielle des Tombeaux, peut aussi apparaître comme l'aboutissement et la synthèse des traditions romanesques et lyriques du Moyen Âge. La quête qu'engage le *Cuer,* héros du récit, se joue dans la forêt séculaire que peuplent les allégories venues du *Roman de la Rose.* Mais au-delà de la forêt et de la mer, dans l'Île d'Amour, s'élèvent les tombeaux armoriés des amants illustres, réunissant dans un même souvenir, un même destin, les héros antiques et bibliques, les princes de ce monde et les poètes de l'amour, Ovide, Machaut, Boccace, Jean de Meun, Pétrarque et Alain Chartier, aux grandes figures du monde arthurien.

Les « contredits » *de* « l'amant martyr » : *Alain Chartier, François Villon*

Depuis le XIIe siècle et la poésie des troubadours, la représentation courtoise de l'amour se fonde sur la possibilité, même si elle est inféfiniment reculée, de l'échange amoureux, sur la reconnaissance et l'acceptation, par la dame, du « service » de l'amant. Or c'est précisément cette convention que met en question le poème d'Alain Chartier, *la Belle Dame sans mercy* (1424), un dialogue (poursuivi sur cent strophes de huit octosyllabes) entre l'amant et la dame qu'il s'est choisie. Dialogue que, selon une convention devenue elle aussi traditionnelle, entend et note l'écrivain qui, pour sa part, a renoncé à la poésie amoureuse depuis la mort de sa dame... Reprenant une question que soulevait déjà la lyrique aux XIIe et XIII siècles avec le motif des *losengiers* — à quelle aune mesurer la sincérité du langage et tout particulièrement du langage amoureux ? — la dame a beau jeu, dans le dialogue, de démontrer à l'amant qu'il ne peut donner la preuve de sa sincérité ni obliger à aimer celle qui entend conserver sa « franchise », qui se refuse à jouer le jeu de l'amour courtois.

Composée dans une période très troublée et par un homme très attaché à la restauration des valeurs traditionnelles (p. 186), *la Belle Dame sans mercy* n'est sans doute pas, dans l'intention de son auteur, une dénonciation de la courtoisie mais plutôt une mise en garde contre des pratiques amoureuses trop dissolues. Reste que le refus de la dame, son indifférence, comme le dénouement tragique du poème (la mort désespérée de l'amant) fixent les limites du pouvoir persuasif du langage tout en démasquant l'utopie fondatrice de l'amour courtois : l'acquiescement ébloui de la femme au désir masculin. La querelle que déchaîna ce poème et qui opposa notamment Alain Chartier aux membres de la *Cour amoureuse* d'Issoudun, une société courtoise qui s'était formée vers 1400 à la cour de Charles VI, les nombreuses imitations qu'il suscita, permettent aussi de mesurer l'impact immédiat de l'œuvre et la fascination exercée par cette nouvelle et cruelle image de la féminité.

Nous avons conservé de François Villon, né en 1431 ou 1432 selon le *Testament,* maître *ès arts* en 1452, dont le nom apparaît ensuite, dans des documents officiels, mêlé à une affaire de meurtre (1455), puis à un vol (1456), et dont la trace disparaît après 1463 : des *Poésies diverses (Ballades, Débat du Cœur et du Corps, Épitaphe Villon, etc.)* — des *Ballades* composées dans le jargon de *la Coquille,* association de malfaiteurs dont les liens exacts avec le poète nous restent obscurs — le *Lais,* daté (v. 1) de Noël 1456 — le *Testament,* composé (v. 81) en 1461.

Dans la tradition des *Congés* du XIIIe siècle (voir, p. 143) et des testaments réels ou parodiques, le *Lais* se présente comme l'adieu à l'amour du poète. Scandé comme un véritable testament par la récurrence des *Item,* le texte déroule, d'un huitain à l'autre, une série de legs ironiques, scabreux, carrément obscènes, qui sont le plus souvent satire cruelle de leurs destinataires. Parodiant le jargon de la scolastique, placés sous le signe de la folie, de l'hallucination, les derniers vers fixent l'image d'un poète à sec, *sec et noir comme escouvillon* (v. 316) devant son encre gelée et sa chandelle soufflée.

Le *Testament* est de structure plus complexe. Sur le motif des dispositions testamentaires, sur ce présent crucial où il faut revenir sur le passé et se confronter à la mort de soi, à la mort de l'autre, se greffent des digressions, accrochées à un nom, à un souvenir, et dérivant au gré consenti des associations d'idées, des jeux de mots, des versets bibliques, des textes littéraires, de l'expérience personnelle. Ces digressions sont autant de regrets, d'excuses, de commentaires, d'évocations douloureuses, attendries, complices ou grinçantes. Enchâssées dans les huitains, les ballades en reprennent et en élargissent les thèmes majeurs : la crispation sur l'échec amoureux, la fuite du temps, le regret des *amoureuses lices,* l'obsession de la décrépitude, de la mort. Obsession que tentent sans doute de désamorcer les deux dernières ballades : la parade carnavalesque qu'est la *Ballade de mercy* et la pirouette finale, dans la *Ballade de conclusion,* du *povre Villon* qui *en amours mourut martir* (v. 2001).

Une part importante de l'œuvre de Villon, celle peut-être qui s'est prise au piège d'une vie, d'un milieu, d'une histoire, nous échappe, et ce n'est trop souvent qu'à travers une glose érudite que nous pouvons lui restituer son sens, son mordant, sa saveur. Mais la déconstruction systématique du langage et des codes poétiques, les ruptures, les raccourcis, les juxtapositions, les jeux sur les mots dont s'enivre cette écriture gardent encore tout leur pouvoir de fascination. Et les grands moments lyriques que sont certains huitains ou les plus célèbres ballades nous sont encore immédiatement accessibles et conservent intact leur pouvoir d'émotion.

Proses et mises en prose

À partir du XIVᵉ siècle, la forme narrative par excellence est la prose, et un nombre très important de textes en vers, chansons de geste ou romans des XIIᵉ et XIIIᵉ siècles, sont « dérimés », mis en prose. Par rapport à la prose, le vers épique et le vers narratif apparaissent donc alors comme des formes marquées : c'est en vers épiques que Cuvelier célèbre ce dixième preux qu'est Du Guesclin (voir *infra,* p. 187) ; c'est en octosyllabes, à l'imitation concertée du roman arthurien, que Froissart compose son roman de *Méliador.*

Pérennité du vers

Parmi les chansons de geste « originales » du XIVᵉ siècle — bien des chansons de geste plus anciennes sont alors remaniées et mises en alexandrins —, on peut citer des textes comme *Baudouin de Sebourc* ou sa suite, *le Bâtard de Bouillon.* Chansons qui reprennent le cadre de celles de la croisade (voir p. 84), mais traitent sur le mode parodique aussi bien l'héroïsme que le comportement fort galant des personnages. La *Chanson d'Hugues Capet* qui insiste sur l'origine mi-noble mi-roturière de l'ancêtre des rois de France participerait, selon R. Bossuat (art. cit.), d'un mouvement de propagande destiné à légitimer la royauté française contre les prétentions anglaises et à souligner la nécessaire complémentarité de la noblesse et du peuple.

Alors que les *Chroniques* de Froissart (voir p. 183) écrivent l'histoire contemporaine de Prouesse, le roman de *Méliador,* composé vers 1383-1388 et inachevé en dépit de ses 30 499 octosyllabes, remonte jusqu'aux temps pré-arthuriens pour fixer par l'écriture le mythe d'origine de la chevalerie errante. Structuré autour de cinq tournois, le récit raconte les aventures de Méliador, *le chevalier au soleil d'or,* et de ses compagnons, au cours d'une quête dont le « prix » est la main d'Hermondine, fille unique du roi d'Écosse. Dans la tradition du roman arthurien et de la quête nuptiale, le héros obtient ainsi l'amour et la possession d'un fief, l'Écosse (terre également très présente dans les *Chroniques*). Intrigues romanesques, rencontres héroïques alternent avec l'expression lyrique du désir amoureux. Froissart a en effet enchâssé dans le roman la production lyrique de l'un de ses nombreux protecteurs, Wenceslas de Brabant. Très présent dans son texte, Froissart auteur de roman met le même soin à signaler la belle *ordenance* de son récit et ses prouesses d'écrivain que Froissart chroniqueur à garantir la qualité de son information et la vérité de son discours.

Romans des origines

Retracer l'origine plus ou moins fabuleuse d'une lignée, d'un royaume, d'un grand personnage, est l'ambition commune de récits comme *Perceforest, Mélusine, Jehan d'Avesnes,* le *Roman du Comte d'Artois,* etc.

Un cas remarquable d'« enfantement » littéraire est le roman d'*Ysaye le Triste* (après 1350), le fils de Tristan et d'Yseut, qui mêle aventures romanesques et allusions aux événements contemporains.

L'énorme roman de *Perceforest* (vers 1340) unit la légende arthurienne à la figure « légendarisée » d'Alexandre. Situé dans l'ère pré-arthurienne, il conte la colonisation de la Grande-Bretagne par Alexandre et ses compagnons (l'un deux est le futur roi du pays, Perceforest), met en place les lignées dont descendront Arthur et les principaux chevaliers de la Table ronde, et les fondations d'une civilisation idéale et d'un ordre de chevalerie préfigurant la Table ronde (elle-même modèle des ordres de chevalerie historiques, créés à partir du XIVe siècle). À la suite du *Tristan en prose,* le récit prête à ses héros l'invention de nombreuses pièces lyriques sur l'amour.

Le *Roman de Mélusine* (ou *Histoire des Lusignan*), commandé à Jean d'Arras par Jean de Berry en 1392, — le duc venait de reprendre aux Anglais la forteresse de Lusignan —, conte la naissance mythique de la lignée des Lusignan, issue des amours de Raymondin et de la fée Mélusine, la fondation par la fée de la forteresse, et l'établissement (historique) de la famille à Chypre.

Au XVe siècle, l'histoire de *Jehan d'Avesnes,* composée à la cour de Bourgogne, s'organise autour de la famille historique des comtes de Ponthieu. Jehan d'Avesnes descend, dans le récit, de la fille du comte de Ponthieu, héroïne d'une nouvelle en prose du XIIIe siècle, que le roman du XVe reprend en la remaniant. Mais cette « fille » est aussi l'ancêtre maternelle de Saladin. La troisième partie du texte raconte ainsi les aventures chevaleresques et sentimentales, les voyages et les « pas d'armes » de Saladin et de son compagnon Jehan d'Avesnes. À travers la figure du héros païen, le texte image la filiation/subordination de la chevalerie sarrasine à la chevalerie chrétienne et tente une « réconciliation » : Saladin se fait adouber et se convertit peu avant sa mort. Le récit des voyages en Europe de Saladin et de ses étonnements préfigure par moments les *Lettres persanes*.

Parallèlement aux biographies « historiques » de personnages contemporains (voir p. 187) sont également composées au XVe siècle des biographies romanesques tissées autour de légendes locales du Hainaut, comme la *Chronique de Gilles de Chin* ou l'*Histoire de Gilion de Trazegnies* partagé, comme jadis Éliduc, entre ses deux épouses.

Remaniements et mises en prose

Au XIVe siècle et surtout au XVe siècle, la pratique de la mise en prose touche l'essentiel de la production épique et romanesque des siècles précédents. Parmi les très nombreuses mises en prose inventoriées dans l'ouvrage de G. Doutrepont, on signalera tout particulièrement (et parce qu'elles sont éditées et/ou étudiées) :

— les *Chroniques et Conquestes de Charlemagne,* mise en prose achevée en 1458. Son auteur, David Aubert, déclare dans son prologue qu'il a voulu, à la demande de son protecteur Jean de Créquy, combler les lacunes des *Grandes Chroniques* (voir p. 125) jugées trop laconiques sur les hauts faits de Charlemagne et de sa chevalerie.

— Le *Roman de Guillaume d'Orange,* également composé à la cour de Bourgogne (avant 1458) et qui utilise treize chansons du cycle et connaît d'autres traditions légendaires.

La mise en prose répond à la demande d'un public pour qui le vers devait paraître une forme surannée, mais qui restait très sensible au profit moral que peut procurer le récit des prouesses passées et qui, surtout à la cour de

Bourgogne, tentait de redonner du lustre à la chevalerie, d'en faire revivre les idéaux, d'en mettre en scène les pratiques. L'effet le plus immédiat de la mise en prose est sans doute d'abolir les distinctions formelles entre chanson de geste et roman, les différentes de composition, de style, de réception des textes. Toutefois, les études menées sur ces récits ont montré que la mise en prose n'était pas un simple et mécanique « dérimage », mais que l'on pouvait y observer le travail de restructuration et de transposition accompli par les auteurs, leurs efforts pour remplacer par exemple la « structure lyrique du poème épique par une structure narrative » ou chercher des équivalences au style épique (F. Suard, ouvr. cit., p. 605 et ss.). On notera enfin que bien des textes médiévaux ne nous sont connus que par leur version ou mise en prose — ainsi du roman d'*Apollonius de Tyr* ou de certains textes épiques — que d'autre part c'est par les mises en prose et les imprimés qui en ont été faits qu'a été lue et souvent appréciée, au XVIe siècle et au-delà, la littérature médiévale.

Romans et nouvelles au XVe siècle

Alors que les mises en prose et les romans précédemment cités font souvent détour par le passé pour y projeter et cautionner des idéaux contemporains, d'autres récits du XVe siècle s'inscrivent dans le présent et montrent la précarité des valeurs reconnues et admirées. Les *Quinze Joies de Mariage* (le titre parodie les *Quinze Joies de la Vierge*) reprend en une longue litanie les thèmes rebattus de la satire des femmes. Mais la critique des hommes trop heureux de se faire prendre à la *nasse* (au filet) du mariage scande en leitmotiv la fin de chaque « joie ». Le texte est par ailleurs riche en scènes pittoresques et en tableaux de genre.

Composé en 1456 par Antoine de La Sale, qui a passé la majeure partie de sa vie au service des ducs d'Anjou (jusqu'en 1448), puis a fréquenté la cour de Louis de Luxembourg, comte de saint Pol, milieu influencé par l'esprit de la cour de Bourgogne, *Jehan de Saintré* est d'abord un roman d'apprentissage : une veuve riche et belle, la dame des Belles Cousines, entreprend l'éducation sentimentale et chevaleresque d'un jeune page ; mais l'infidélité ultérieure de la dame, le combat corps à corps où son nouvel amant, un gros abbé, triomphe du page, la vengeance que tire Jehan de l'abbé et de la dame, sont autant d'accrocs décisifs, de mises en question de l'idéal chevaleresque et courtois. Le raffinement tout extérieur des mœurs, l'élégance du langage, des manières, volent en éclats devant la trivialité des conduites et la bassesse des sentiments réels. La victoire, même momentanée, de l'abbé sur le chevalier est enfin l'un des ultimes échos — pour le Moyen Âge — du débat du clerc et du chevalier (voir p. 41) sur leur compétence érotique respective et leur poids au monde.

Écrites vers 1462-1466 à la cour de Bourgogne, les *Cent Nouvelles nouvelles,* recueil anonyme mais où chaque récit est mis dans la bouche du duc de Bourgogne ou d'un membre de sa cour, perpétuent l'esprit des fabliaux tout en reprenant au *Décaméron* de Boccace leur mode de structuration. Ces « histoires plaisantes et grivoises » (éd. cit., p. IX) n'ont rien de bien nouveau quant au fond. Pas plus que les fabliaux du XIIIe siècle, elles ne reflètent la vie quotidienne du XVe. Elles révèlent plus sûrement les appétits d'un milieu, la cour de Bourgogne, partagé entre un idéal plus ou moins artificiel et un désir de jouissances plus faciles et plus immédiates. R. Dubuis a d'autre part montré comment cette lignée de récits, lais, fabliaux, nouvelles, relevait d'une même technique narrative fondée sur une « structure de la surprise », déjà pratiquée par les auteurs de lais et de fabliaux, mais qui, avec les *Cent Nouvelles nouvelles,* « accède à la dignité d'une théorie, consciente et exprimée » (ouvr. cit., p. 563).

La mémoire des temps

La guerre de Cent Ans a joué un rôle décisif dans le développement de l'historiographie en langue française. On ne peut tout citer ici d'une production très abondante et diversifiée, mais bien souvent encore peu accessible dans des éditions modernes. On signalera donc tout au plus les œuvres et les tendances les plus représentatives.

Écrire l'histoire, c'est encore pour la plupart des chroniqueurs du XIVe et du XVe siècles relater de manière détaillée *(historier)*, et en suivant l'ordre chronologique, les faits marquants d'un passé plus ou moins récent dont il importe de garder la mémoire et qui a valeur exemplaire et didactique. Il est rare en revanche que le chroniqueur s'interroge sur les causes autres que providentielles des événements rapportés. Toutefois, la succession de malheurs et de crises qu'a entraînée la guerre a sensiblement modifié, dès la seconde moitié du XIVe siècle, le discours historique. L'importance prise dans les luttes par certaines provinces et/ou par de grandes maisons princières a ainsi développé une histoire, des chroniques locales. Le souci de défendre la royauté française contre les prétentions anglaises est sensible dans l'orientation que prennent par exemple les *Grandes Chroniques* (voir p. 125) de 1350 à 1380 sous l'impulsion de Pierre d'Orgemont, chancelier de Charles V. Au début du XVe siècle, les luttes entre Bourguignons et Armagnacs sont à l'origine de nombreux écrits polémiques.

L'ampleur du conflit, au cours duquel toute l'Europe occidentale est finalement concernée, a d'autre part incité les chroniqueurs de la guerre de Cent Ans à élargir leur horizon, à proposer en somme des « tableaux » plutôt que des monographies. La conscience de vivre une période exceptionnelle a conduit de simples particuliers à tenir un « journal » des événements, tandis que le désir d'exalter la mémoire de personnages d'exception est à l'origine de nombreuses biographies héroïques. Dans les grandes familles princières enfin, et principalement à la cour de Bourgogne, se développe au XVe siècle une historiographie officielle.

Aux récits proprement historiques, il faut encore ajouter les textes très divers, poétiques et/ou narratifs, dans lesquels les écrivains du XIVe et du XVe siècles se sont fait l'écho des malheurs des temps ou ont pris parti, marquant ainsi l'entrée de l'écrivain dans le politique.

Histoire ancienne / histoire contemporaine

Durant cette période, la chronique universelle est encore bien représentée : le *Myreur des Histors* de Jean d'Outremeuse couvre ainsi les temps de la prise de Troie à l'an

1341 mais accueille également au titre de l'histoire de nombreux « résumés » de chansons de geste. Le *Livre de Mutacion de Fortune* de Christine de Pizan (1403, en vers dans sa majeure partie), autre essai de chronique universelle, place le devenir de l'histoire (et de l'histoire personnelle de Christine) sous le signe de cette imprévisible divinité. La part faite à l'histoire contemporaine (les 300 derniers vers d'un texte de 23 636 vers), est restreinte. En revanche, en 1404, Christine achève à la demande du duc de Bourgogne, Philippe le Hardi, le *Livre des fais et bonnes mœurs du sage roy Charles V.* Écrite par une femme qui a connu et aimé le roi, cette biographie, proche du panégyrique, insiste davantage sur les *bonnes mœurs* que sur les *fais* (les guerres menées par le roi sont à peu près absentes), célèbre la sagesse, les vertus publiques et privées, les goûts éclairés du roi pour les sciences, les lettres, les arts et son rôle de mécène. Destinée sans doute à servir de « miroir au prince », cette vie a beaucoup contribué à fixer pour la postérité une image très positive de Charles V et de son règne.

Les Chroniques de la guerre de Cent Ans

En conformité avec son titre très détaillé : *Histoire vraye et notable des nouvelles guerres et choses avenues depuis l'an mil CCC XXVI jusques à l'an LXI en France, en Angleterre, en Escoce, en Bretaigne et ailleurs et principalement des haults faitz du roy Edowart d'Angleterre et des II roys Philippe et Jehan de France,* la chronique de Jean le Bel, rédigée entre 1352 et 1361, relate les débuts du règne d'Édouard III et de la guerre de Cent Ans. Jean le Bel qui, avant de devenir chanoine de Saint-Lambert de Liège, a connu la vie des cours, a mené la carrière des armes et s'est battu aux côtés d'Édouard III (campagne contre les Écossais de 1327), est un écrivain plutôt impartial, qui a le souci de la vérité et de la précision mais qui, comme le fera également Froissart, envisage et écrit l'histoire du point de vue de la société chevaleresque dont il célèbre les exploits et l'idéal de prouesse.

L'énorme ensemble textuel des *Chroniques* de Froissart (15 volumes dans l'édition inachevée de la *Société de l'Histoire de France*) couvre les années 1327 à 1400 et va de l'avènement d'Édouard III à la mort de Richard II. Il compte quatre livres dont l'auteur a, à plusieurs reprises, surtout pour le premier livre, remanié la rédaction et plus ou moins modifié les orientations. Le premier livre (dans sa seconde version) suit les événements jusqu'en 1377 ; le deuxième va jusqu'en 1385 en relatant tout particulièrement les troubles de Flandre, la mort de Du Guesclin et de Charles V ; le troisième livre est surtout consacré au voyage de Froissart en Béarn, à la cour du comte de Foix, Gaston Phébus ; une part importante du quatrième livre est une relation détaillée des débuts du règne de Charles VI.

Dans le prologue (éd. cit., G. Diller) rédigé pour l'ultime rédaction du premier livre (peu après 1400), Froissart a exposé ses principes d'historien. L'objet des *Chroniques,* le point de vue qu'elles adoptent sur les événements, sont de suivre et de célébrer les manifestations de Prouesse dont le texte rappelle la trajectoire, de l'antique Ninive jusqu'à l'Angleterre d'Édouard III. Le texte est écrit pour garder le souvenir exemplaire des *grans mervelles et biau fait d'armes, liquel sont avenu par les gerres de France et d'Angleterre et des roiaulmes voisins, conjoins et ahers avoecques euls, dont li roi sont cause.* Il est destiné *a la fin que tout baceler qui ainment les armes s'i puissent exempliier.* Mais il se veut également véridique et le chroniqueur rappelle les efforts constants et multiples qu'il a faits pour obtenir la *vraie information,* tant auprès des *vaillans honmes, chevaliers et esquiers qui les dites armes ont aidiet a acroistre* qu'auprès des *roi d'armes nonmés hiraus* chargés de consigner ces exploits.

Le prologue de 1400 prend ainsi l'exacte mesure (et signale les limites) de *Chroniques* presque exclusivement consacrées à la chevalerie européenne, à ses exploits guerriers, à ses activités ludiques (fêtes, tournois, joutes), à ses intrigues sentimentales. Comportements et conduites qui semblent avoir fasciné le narrateur, qu'il fait revivre avec une verve passionnée, mais sans en mettre en question le sens et l'opportunité.

On a souvent reproché à Froissart d'en rester à l'aspect extérieur des événements, sans chercher à en pénétrer les causes ou à embrasser une réalité politique et sociale autrement complexe. De fait, à la vision globale, Froissart préfère la relation détaillée qui ne s'intéresse guère qu'au monde des nobles, qui privilégie les comportements individuels (on notera l'abondance des noms propres dans n'importe quelle page des *Chroniques*), juxtapose les êtres et les choses, renonce à toute perception synthétique du réel. En contrepartie, l'effort constant de caractérisation, la précision de la chose vue, la présence animée et insistante du narrateur dans son récit (le « Voyage en Béarn » est à cet égard particulièrement intéressant) font des *Chroniques* l'un des textes en prose les plus vivants, les moins conventionnels de son époque. Il importerait enfin de suivre, à travers les différentes versions de l'œuvre et principalement celles du premier livre, l'évolution de la vision et des techniques d'écriture, le décalage qui apparaît parfois entre l'idéal de Prouesse auquel reste attaché le narrateur et les faits rapportés, les exploits glorifiés, le déroulement de la guerre, ses répercussions sur les royaumes et les conduites humaines.

Au début du XVe siècle, la reprise et l'aggravation de la guerre, le désastre d'Azincourt (1415), les luttes entre Bourguignons et Armagnacs, les troubles à Paris puis l'occupation anglaise, sont autant d'événements qui ont incité des non-professionnels à rédiger des chroniques à usage plus ou moins privé ou des journaux. L'œuvre la plus justement célèbre de cette production est le *Journal d'un Bourgeois de Paris* tenu de 1405 à 1449 par un homme qui était sans doute un clerc. Dans cette chronique au quotidien sont notés aussi bien les prix des denrées, les variations climatiques, que les péripéties et les atrocités de la guerre civile (par exemple le massacre des Armagnacs en juin 1418). Le *Journal* est aussi un écho précieux de la mentalité parisienne, de son hostilité d'abord au parti armagnac et à la reine Isabeau, puis de sa résistance à l'occupant anglais.

Dans le nombre des écrits polémiques jalonnant les luttes entre Armagnacs et Bourguignons, le *Pastoralet* d'un certain Bucarius, composé vers 1422-1425, recourt de manière originale à la fiction de la pastorale pour relater les événements du règne de Charles VI, l'assassinat de Louis d'Orléans et celui de Jean sans Peur (le héros de

Bucarius), épisode sur lequel se clôt le récit. Généralement considéré comme un pamphlet mensonger, écrit pour la cour de Bourgogne, l'œuvre participerait, selon son récent éditeur, de ce désir de paix et de réconciliation nationale qui se manifeste après Azincourt.

L'écrivain et le politique

Dans des vers, souvent cités, du *Jugement du Roi de Navarre,* Guillaume de Machaut a décrit les *orribles merveilles / seur toutes autres despareilles* (v. 143-144), les calamités de toutes natures qui ont déferlé sur la France dans le terrible hiver 1348-1349. Plus engagée, l'œuvre d'Eustache Deschamps se fait souvent l'écho des malheurs de la guerre et exalte au lendemain de sa mort (*Lai* 312, *Ballade* 306) la figure et l'œuvre de Du Guesclin. Machaut dans la *Fontaine amoureuse,* Froissart dans le *Dit dou bleu chevalier* et, plus tard, nombre de pièces de Charles d'Orléans disent les souffrances de la captivité et de l'exil. Mais la prise de position personnelle de l'écrivain, son désir d'agir sur l'événement, et non seulement de le déplorer, deviennent particulièrement nets dans les œuvres composées par Christine de Pizan après 1405 : sa *Lettre à Isabeau de Bavière* (1405), son *Livre du Corps de policie* (vers 1407), la *Lamentation sur les maux de la France* (1410) et son *Livre de Paix* célèbrent la réconciliation nationale et donnent les moyens de la mettre en œuvre. Enfin, la dernière œuvre connue de Christine est le *Ditié de Jehanne d'Arc,* écrit en 1429, peu après le siège d'Orléans, et qui exalte la prouesse de la jeune fille, sa mission divine, son action miraculeuse.

Une part importante de l'œuvre latine et française d'Alain Chartier, qui fut en 1422 secrétaire du Dauphin, le futur Charles VII, à Bourges, est un appel aux différents « états » dont l'union est seule capable de triompher de la guerre et de l'occupation. S'y affirme ce que l'on peut désormais appeler une conscience nationale et des préoccupations patriotiques. Composé en 1422, le *Quadrilogue* (quadruple discours) *invectif* reprend le cadre du songe : une noble dame au riche manteau abominablement déchirée, la France, apparaît au rêveur/narrateur. À la complainte de la France succèdent les réponses et les débats du peuple, du chevalier et du clergé. Dans sa réplique finale, la France les conjure d'oublier leurs discordes et de travailler à *vostre commune salvation,* tout en demandant au rêveur de consigner les plaintes des trois ordres afin qu'elles demeurent *a memoire et a fruit.* Ce texte, dont le *Débat patriotique* et le *Lai de Paix* reprennent les thèmes, est d'autre part un essai réussi pour adapter en français le mouvement et l'ampleur de la prose latine et fait de son auteur l'un des fondateurs, avec Jean Gerson, de l'éloquence en langue française.

Biographies héroïques

Ont été composées aux XIVe et XVe siècles, par des écrivains à gages mais aussi par ces spécialistes de la prouesse chevaleresque que furent les « rois d'armes » des ordres de chevalerie, des biographies destinées à perpétuer une image idéale et idéalisée des grandes figures héroïques de la guerre de Cent Ans. C'est la laisse épique que choisit encore Cuvelier pour retracer (vers 1380-1385) la carrière de Du Guesclin dans sa *Chanson de Bertrand Du Guesclin,* à partir de laquelle s'est forgée l'image quasi mythique du connétable, du vassal fidèle et loyal au service de son roi. À la même époque, le héraut Chandos compose une biographie de l'un de ses principaux adversaires, le Prince Noir (fils aîné d'Édouard III).

D'autres biographies s'attachent, au XVe siècle et dans la sphère de la cour de Bourgogne, à fixer le souvenir nostalgique d'hommes qui ont cherché à mettre en conformité leur vie et leur vision de la chevalerie : ainsi du *Livre des faits du bon messire Jean le Maingre dit mareschal de Bouciquaut* (1409) qui évoque la noble figure du champion des dames (il fonda pour leur défense l'ordre de l'Écu vert à la Dame blanche), de l'un des glorieux rescapés de la croisade contre les Turcs de 1396 et du désastre de Nicopolis. Le *Livre des Faicts de messire Jacques de Lalaing,* un chevalier de Hainaut, raconte longuement l'éducation exemplaire, les multiples Pas d'armes (joutes longuement organisées) et Emprises de ce parfait et anachronique représentant de l'idéal chevaleresque, tué par un boulet de canon au cours du siège d'une ville de Flandre... Le *Jouvencel* (1461-1466) est le récit romancé mais largement autobiographique de la carrière exemplaire d'un jeune homme pauvre, Jean de Bueil, l'un des plus célèbres capitaines de Charles VII. Le texte, qui se présente comme un manuel d'éducation militaire, est aussi une chronique pittoresque et réaliste des dernières années de la guerre de Cent Ans.

L'historiographie à la cour de Bourgogne

Sous Philippe le Bon et Charles le Téméraire, la cour de Bourgogne devient un centre particulièrement important d'écriture de l'histoire. Les *Chroniques* de Froissart sont continuées pour la période 1400-1444 par Enguerrand de Monstrelet. La *Chronique* de Jean Lefèvre de Saint-Rémy dit Toison d'Or, héraut officiel des ducs de Bourgogne, fait une très large place aux descriptions des fêtes et tournois de l'ordre de la Toison d'Or, mais est aussi un tableau assez complet de l'histoire diplomatique et militaire de la maison de Bourgogne de 1407 à 1435.

Le chroniqueur le plus intéressant de ce groupe est cependant Georges Chastellain. Sa *Chronique,* dont il ne reste qu'un tiers environ, s'étend de 1419 à 1475. Historiographe officiel de la maison de Bourgogne, ami et conseiller de Philippe le Bon, Chastellain a su mieux que quiconque célébrer le règne de Philippe le Bon, ses fêtes et ses fastes. La prose de Chastellain est souvent lourde, trop chargée. Mais J. Huizinga, rapprochant le chroniqueur du peintre Jean Van Eyck, a justement souligné la précision et la lucidité de sa vision, la « succulence de sa couleur » (ouv. cit., p. 298). Texte souvent repris et remanié, les *Chroniques,* surtout dans leur dernière partie, portent trace de la désillusion de leur auteur, de la lucidité critique avec laquelle il juge Charles le Téméraire et Louis XI.

Philippe de Commynes

Les huit livres des *Mémoires* de Philippe de Commynes (1447-1511), par leur date d'écriture (de 1489 à 1496) et par leur contenu (les livres VII et VIII ont trait à l'expédition en Italie de Charles VIII), se situent en dehors du Moyen Âge « historique ». C'est cependant à l'une des figures emblématiques de la fin du Moyen Âge, Louis XI, qu'est d'abord consacrée cette œuvre complexe et ambiguë. L'obsession de la trahison — Commynes abandonna Charles le Téméraire pour passer au service de Louis XI — explique sans doute l'insistance avec laquelle le mémorialiste fouille les conduites, explore les mobiles et les ressorts psychologiques pour mettre à nu la duplicité universelle, en faire la loi qui régit le monde. Mise à nu qui est aussi mise en question des mythes chevaleresques et courtois, de la prouesse guerrière notamment dont Commynes souligne le caractère illusoire et les risques, opposant à Charles le Téméraire Louis XI, négociateur tenace sinon toujours heureux.

Fondant son droit à écrire sur sa connaissance intime de son « sujet », Louis XI, et sa participation active à l'histoire qu'il relate, Commynes entend également faire œuvre didactique. Commentaire lucide, nuancé, critique d'un règne, les *Mémoires* sont aussi, à travers l'image qu'ils forgent de Louis XI et les commentaires du narrateur, un manuel de politique dont les options annoncent bien souvent celles du *Prince* de Machiavel (publié en 1513). La prose de Commynes n'est pas d'une absolue transparence. Comparée à celle des chroniqueurs de la maison de Bourgogne, elle frappe cependant par sa sobriété mais aussi par son réalisme, sa précision, la manière dont elle organise le récit, dispose (de) la vérité, sonde, décape et capture, par approches successives, l'ondoyante diversité de son sujet.

Les formes théâtrales aux XIVe et XVe siècles

Seuls les textes sont ici pris en compte, mais on rappellera combien il est arbitraire en ce domaine d'isoler le texte de théâtre des autres et multiples manifestations théâtralisées qui jalonnent la vie de la communauté urbaine — processions, défilés, fêtes, entrées royales, etc. — et de privilégier le support textuel, les « livrets » conservés, dans une forme d'expression qui est aussi spectacle, représentation, qui se joue et se déploie dans l'espace (scénique) et qui, de surcroît, engage et met à contribution, au Moyen Âge, l'ensemble de la collectivité.

D'autre part, le mouvement de dramatisation de textes/de genres narratifs déjà signalé pour les XIIe et XIIIe siècles rend parfois indécise la ligne de partage entre textes manifestement destinés au théâtre et textes susceptibles d'être déclamés et mimés devant un public par des récitants : ainsi du *Dit de l'Herberie* de Rutebeuf ou du « fabliau » des *Deux Bordeors Ribauz* (deux jongleurs vantent de manière parodique l'étendue de leur répertoire et de leurs connaissances) ; ainsi d'*Aucassin et Nicolette* qu'on a pu qualifier de « mime » et, au XIVe siècle, de la « farce » de *Maître Trubert et Antroignart* d'Eustache Deschamps. Ces textes pourraient être ainsi les premières manifestations de formes qui s'épanouissent au XVe siècle : les monologues dramatiques, comme par exemple le monologue de soldat fanfaron qu'est le *Franc Archer de Bagnolet* (1468) ou les multiples « sermons joyeux », parodies de sermons religieux, les « testaments » burlesques, etc.

Dans le domaine du théâtre religieux, c'est également par gradations et glissements que l'on passe d'une Passion narrative, comme la *Passion des jongleurs,* aux formes dramatisées du XIVe siècle (*Passion du Palatinus, Passion d'Autun,* Passion conservée dans le ms. 1131 de la Bibliothèque Sainte-Geneviève) puis aux grands Mystères du XVe siècle.

Les Miracles de Notre Dame

Deux manuscrits (B. N. fr. 819 et 820) nous ont conservé une collection de quarante *Miracles de Notre Dame,* composés entre 1339 et 1382 à l'intention de la confrérie de Saint-Éloi (liée à la corporation des orfèvres). Dans la lignée du *Miracle de Théophile* (voir p. 155), ces *Miracles* illustrent le secours apporté par la Vierge à ses dévots et/ou sa mansuétude à l'égard du pécheur repentant. Ils reprennent leurs sujets à des sources narratives multiples (vies de saints, *Miracles* de Gautier de Coincy, contes populaires, chansons de geste, etc.). Un motif bien représenté (dans sept *Miracles*), repris au roman d'aventures (*la*

Manekine par exemple), est celui de la femme injustement accusée. La diversité des affabulations retenues, des personnages mis en scène, de leurs errances et de leurs errements, permet d'apporter quelque variété dans le traitement d'une structure par ailleurs constante. Ces textes sont écrits en octosyllabes, un quadrisyllabe signalant la fin de chaque « tirade », mais les apparitions scéniques de la Vierge, encadrées par des rondeaux (chantés), sont l'occasion d'intermèdes musicaux.

On peut sans doute rapprocher de ces *Miracles* l'*Estoire,* édifiante sinon religieuse, *de Griseldis* (1395) qui transpose à la scène la dernière nouvelle du *Décaméron,* traduite en latin par Pétrarque et mise en français par Philippe de Mézières à qui l'on doit peut-être la version scénique... Le miracle est ici dans la constance avec laquelle l'épouse irréprochable supporte, au-delà de toute vraisemblance psychologique, les mauvais traitements que lui inflige son mari pour finalement retrouver son bonheur de femme et de mère. Les illustrations du manuscrit qui nous a conservé la pièce sont peut-être destinées à en guider la mise en scène. Ce texte de 2609 octosyllabes fait en effet appel à de très nombreux personnages, et la très grande variété des « scènes » suppose, au moins en théorie, de très fréquents changements de lieux.

Les Mystères

On appelle Mystères des pièces qui représentent dans sa totalité la vie d'un saint ou qui — ce sont les *Mystères de la Passion* — mettent en scène l'histoire du Christ et, au-delà, l'histoire de l'humanité en quête de son salut. Dès la fin du XIVe siècle, la représentation des Mystères est assurée par des confréries (des lettres patentes de Charles VI fondent en 1402 la confrérie parisienne de la Passion) dont les activités se prolongeront jusqu'au milieu du XVIe siècle au moins. Les représentations ordinaires comportaient — ainsi du *Mystère de saint Martin* d'Andrieu de la Vigne en 1494 — un mystère (souvent une vie de saint), une moralité et une farce. Au XVe siècle les représentations des *Mystères de la Passion,* de grands mystères comme celui des *Actes des Apôtres* (1470) ou de mystères profanes comme la

Destruction de Troie de Jacques Millet ou *le Mystère du siège d'Orléans* (1453), se déroulent le plus souvent sur plusieurs journées, voire sur les dimanches et fêtes d'un mois ou de plusieurs mois. Organisés par les cités, ces spectacles sont à bien des égards des entreprises commerciales et des opérations de prestige. Mais ils sont aussi le moment, pour la communauté, de revivre les mythes fondateurs d'une civilisation et, prise dans le « cercle magique » du « théâtre en rond » — telle est du moins la thèse d'Henri Rey-Flaud — d'oublier ses tensions et ses drames et de resserrer ses liens.

De dimensions modestes et proches de la *Passion des jongleurs* (fin du XIIe-début XIIIe siècle), les Passions du XIVe siècle, comme la *Passion du Palatinus* (fin XIIIe-début XIV siècle, 1996 vers) et la *Passion dite de sainte Geneviève* (milieu du XIVe siècle, 4477 octosyllabes), ne dramatisent que les événements de la semaine sainte, de l'office des Rameaux (entrée triomphale du Christ à Jérusalem) à sa Passion et à sa Résurrection. À la suite de la *Passion des jongleurs,* elles s'inspirent des *Évangiles* canoniques mais font de larges emprunts aux évangiles apocryphes et notamment à l'*Évangile de Nicodème* (voir p. 35) et à la liturgie, introduisent des légendes comme celle de Véronique, développent le rôle de Joseph d'Arimathie. La *Passion du Palatinus* comporte des scènes qui deviendront traditionnelles dans les autres Passions, comme le tirage au sort des vêtements du Christ, la Flagellation, les scènes de diablerie (lors de la venue du Christ en Enfer), le boniment de *l'espicier* vendant ses onguents aux saintes femmes ou, dans un autre registre, les plaintes de Marie au pied de la Croix, son dialogue avec saint Jean.

Les Passions du XVe siècle, *Passion d'Arras* d'Eustache Mercadé (1420, plus de 25 000 vers), d'Arnoul Gréban (1452, 34 429 vers), de Jean Michel, qui remanie en 1486 le texte de Gréban, procèdent par refontes et amplifications successives. L'action, divisée en plusieurs journées, déborde largement le temps de la semaine sainte. La *Passion* de Mercadé s'ouvre sur le motif du Procès de Paradis, débat entre Justice et Miséricorde dont l'enjeu est l'Incarnation. Retrouvant la tendance « cyclique » déjà observée dans la production épique et romanesque, ces Passions tendent également à saturer progressivement le temps chrétien, en amont de la Passion, en intégrant des épisodes tirés de l'*Ancien Testament,* l'histoire de la Vierge et de ses parents, le récit de la Nativité, etc., ou en développant la légende de Judas, nouvel Œdipe, parricide et époux de sa mère, l'histoire de la vie (et de la résurrection) de Lazare ou la vie « mondaine » de la Madeleine. En accord sans doute avec l'attente du public, les auteurs insistent aussi sur les scènes de violences, de tortures, allongent les intermèdes burlesques et les diableries. Mais la Nativité est aussi l'occasion, dans la *Passion* de Gréban par exemple, de développer les scènes et l'atmosphère pastorales tandis que prend de plus en plus d'importance le rôle lyrique de Marie s'interrogeant douloureusement sur le sens du sacrifice et dont la passion humaine et maternelle vient doubler le drame de la Croix.

L'énorme *Mystère des Actes des Apôtres* (62 000 vers), d'Arnoul et Simon Gréban, se présente comme une synthèse de l'histoire sainte et de l'histoire romaine. Mais l'histoire contemporaine apparaît également avec le *Mystère du siège d'Orléans,* tandis que le *Mystère de la Destruction de Troie* met en scène à travers l'histoire païenne le mythe d'origine de la nation France.

Une autre forme souvent associée aux Mystères dans la représentation est, à partir du XVe siècle et au début du XVIe siècle, la Moralité, genre didactique qui met en scène des entités allégoriques et aborde les sujets les plus divers, moraux, religieux, historiques, politiques.

Le théâtre comique

Si le théâtre religieux et profane, dès le XIIIe siècle, tout comme les Mystères, présentent des séquences comiques, ce n'est qu'au lendemain de la guerre de Cent Ans, à partir de 1450 environ, que se développent des formes théâtrales d'abord destinées à faire rire comme les sotties et les farces. Les représentations en étaient assurées par des confréries joyeuses comme les Enfants sans souci de Paris, les Cornards de Rouen ou des associations de juristes comme les Clercs de la Basoche de Paris.

Le terme de sottie renvoie aux acteurs de ces pièces, les

Sots, membres d'une « société » régentée par ces meneurs de jeu que sont le Prince des Sots ou Mère Sotte et qui portent un costume et les attributs traditionnels du fou (on a souvent établi une filiation entre les associations de sots et les célébrants de la fête des fous) ou des accessoires symboliques. Telle que la définit J.-C. Aubailly (ouvr. cit.), la sottie est en effet un genre « intellectuel », où les personnages « symbolisent un état d'esprit, une pensée » et qui présente le plus souvent « un triple niveau de signification » : destinées à faire rire, les sotties « dénoncent les causes du malaise social... et sont un appel à la contestation politique » (p. 460).

Forme brève comme la sottie (la dimension moyenne de ces pièces est de 300 à 500 octosyllabes), la farce met en scène des personnages typés, le mari trompé, la femme rusée, le galant, etc., aux actions et aux réactions également codifiées et qui appartiennent plutôt au menu peuple. Un personnage neuf est le *badin,* le naïf, l'innocent qui prend les choses au pied de la lettre et fait éclater l'arbitraire et l'artifice des conduites et des conventions. Un sujet souvent repris est les heurs et infortunes de la vie conjuguale et de l'état de mariage (*Farce du Cuvier, Farce du Gentilhomme et de Naudet).* Composée entre 1456 et 1469, la *Farce de Maître Pathelin* se distingue déjà de cette production par sa date, sa longueur, la complexité d'une intrigue dont les trois moments, le vol du drap, la scène de délire de Pathelin, le procès du berger, sont reliés par le fil conducteur de l'universelle tromperie et le motif du trompeur trompé. Utilisant toutes les ressources du comique sans jamais tomber dans la vulgarité, pratiquant une déconstruction systématique du langage (le dernier mot est l'onomatopée *bee*), mettant en scène des personnage à la psychologie complexe mais qui deviendront très vite des « types », cette pièce serait, selon J. Dufournet, particulièrement représentative d'une période (le règne de Louis XI) où des « changements profonds dans les mœurs et les mentalités... remettent tout en question, les idéaux du Moyen Âge, les limites du monde connu, la stabilité du langage » (éd. cit., p. 33).

La composition et la représentation des Mystères, des sotties, des farces, des Moralités, dépassent très largement le cadre temporel de cette étude et les dates assignées au Moyen Âge « historique ». Ce décalage souligne, s'il en était besoin, combien ces formes théâtrales qui se sont progressivement approprié, dans la totalité du spectacle, les structures poétiques, les genres littéraires, les recherches plastiques et musicales du Moyen Âge, qui en ont recueilli les grands mythes fondateurs, les obsessions, les angoisses, ont encore « nourri » le XVIe siècle, au moins dans sa première partie, et tracent une ligne indécise entre la « fin » du Moyen Âge et l'éclat neuf d'une Renaissance.

BIBLIOGRAPHIE

LA POÉSIE AUX XIVe ET XVe SIÈCLES

Éditions et traductions

Alain Chartier, *la Belle Dame sans mercy et les poésies lyriques,* éd. A. Piaget, Droz, TLF (lexique établi par R.L. Wagner), 1949.

Eustache Deschamps, *Œuvres complètes,* éd. le Marquis de Queux de Saint-Hilaire et G. Raynaud, 11 vol., SATF.

Jean Froissart, *l'Espinette amoureuse,* éd. A. Fourrier, Klincksieck, Paris, 1972 ;
— *le Joli Buisson de Jonece, id.,* Droz, TLF, 1975 ;
— *Ballades et Rondeaux,* éd. R.S. Baudoin, Droz, TLF, 1978 ;
— *Dits et Débats,* éd. A. Fourrier, Droz, TLF, 1979.

G. Machaut, *Œuvres,* éd. E. Hoepffner, 3 vol. SATF.

— *Le Livre du Voir Dit,* éd. P. Paris, 1875, Slatkine Reprints, 1969.

— *Poésies lyriques,* éd. V. Chichmaref, 2 vol., Champion 1909, Slatkine Reprints 1969.

Charles d'Orléans, *Poésies,* éd. P. Champion, 2 vol., Champion, CFMA, 1923.

Christine de Pisan, *Œuvres poétiques,* éd. M. Roy, 3 vol., SATF.
— *Cent Balades d'Amant et de Dame,* éd. J. Cerquiglini, 10/18, 1982.
— *La Cité des dames,* trad. Th. Moreau et E. Hicks, Stock/Moyen Âge, 1986.

François Villon, *le Testament,* éd. J. Rychner et A. Henry, 2 vol., Droz, TLF, 1974.
— *Le Lais Villon suivi des Poèmes variés, id., ibid.,* 2 vol. ;
— *Testament et Lais, Tables et Glossaire,* id., *ibid.,* 1 vol., 1985.
— *Poésies,* éd. J. Dufournet, Gallimard, 1973.

Études

Ch. Martineau-Génieys, *le Thème de la mort dans la poésie française de 1450 à 1550,* Champion, 1978.

D. Poirion, *le Poète et le Prince. L'évolution du lyrisme courtois de Guillaume de Machaut à Charles d'Orléans,* PUF, 1965.

Sur Guillaume de Machaut

J. Cerquiglini, *« Un engin si soutil », Guillaume de Machaut et l'écriture au XIVe siècle,* Champion, 1985.

Sur François Villon

J. Dufournet, *Recherches sur le Testament de François Villon,* 2 vol., SEDES, 1971 et 1973 ;
Nouvelles recherches sur Villon, Champion, 1980.

D. Kuhn, *la Poétique de François Villon,* Colin, Paris, 1967.
P. Le Gentil, *Villon,* Hatier, 1967.
I. Siciliano, *François Villon et les thèmes poétiques du Moyen Âge,* Paris, 1934, rééd. Nizet, 1967.

PROSES ET MISES EN PROSE

Éditions et/ou traductions

Antoine de La Sale, *le petit Jehan de Saintré,* éd. Misrahi-Knudson, Droz, TLF, 1965.
Apollonius de Tyr, trad. M. Zink, 10/18, 1982.
Le Bâtard de Bouillon, éd. R.F. Cook, Droz, TLF, 1972.
Les Cent Nouvelles nouvelles, éd. F.P. Sweetser, Droz, TLF, 1966.
David Aubert, *Chroniques et Conquestes de Charlemagne,* éd. R. Guiette, Bruxelles 1951.
Froissart, *Méliador,* éd. Longnon, 3 vol., SATF.
Jean d'Arras, *Mélusine,* trad. M. Perret, Stock Plus, 1979.
Perceforest, éd. J.H.M. Taylor (1re partie), Droz, TLF, 1979 et G. Roussineau (4e partie), *ibid.,* 2 vol., 1987.
Les Quinze Joies de mariage, éd. J. Rychner, Droz, TLF, 1967 et trad. M. Santucci, Stock Moyen Âge, 1986.
Saladin, éd. L.S. Crist, Droz, TLF, 1972.

Études

R. Bossuat, *la Chanson de Hugues Capet, Romania,* 1950.
P. Dembowski, *Considérations sur Méliador, Mélanges J. Horrent,* Liège, 1980.
J. Lods, *le Roman de Perceforest...,* Droz, 1951 ;
— *Les pièces lyriques du Roman de Perceforest, ibid.* 1953.

Études sur les mises en prose

F. Desonay, *Antoine de La Sale, aventureux et pédagogue,* Liège, 1960.
G. Doutrepont, *les mises en prose des épopées et des romans chevaleresques,* 1939, Slatkine Reprints, 1969.
R. Dubuis, *les Cent Nouvelles nouvelles,* ouvr. cit.
F. Suard, *Guillaume d'Orange. Étude du roman en prose,* Champion, 1979.

LE RÉCIT HISTORIQUE AUX XIVe ET XVe SIÈCLES

Éditions et/ou traductions

Alain Chartier, *le Quadrilogue invectif,* éd. E. Droz, CFMA, 1950.
Le Livre des Fais... de Bouciquaut, éd. D. Lalande, Droz, TLF, 1985.

Georges Chastellain, *Œuvres,* éd. Kervyn de Lettenhove, 8 vol., Bruxelles (1863-1866) Slatkine Reprints, 1971.
— Christine de Pizan, *Livre de Mutacion de Fortune,* éd. S. Solente 4 vol., SATF.
Livre des fais et bonnes mœurs... éd. S. Solente, 2 vol., *Société de l'Histoire de France.*
Froissart, *Chroniques,* éd. S. Luce, G. Raynaud L. et A. Mirot 15 vol. parus, Société de l'Histoire de France, 1869-1975.
— Extraits publiés par A. Pauphilet, *Historiens et chroniqueurs du Moyen Âge,* La Pléiade, 1952.
— G.T. Diller, Froissart, *Chroniques* (éd. de la dernière rédaction du début du Livre I), Droz, TLF, 1972.
— A.H. Diverres, *Le Voyage en Béarn,* Manchester, 1953.
Jean de Bueil, *le Jouvencel,* éd. L. Lecestre, 2 vol., SATF.
Le Journal d'un bourgeois de Paris, trad. J. Thiellay, 10/18, 1963.
Le Pastoralet, éd. J. Blanchard, PUF, 1983.
Philippe de Commynes, *Mémoires sur Louis XI,* éd. J. Dufournet, Folio, Gallimard, 1979.

Études

G. Doutrepont, *la Littérature française à la cour des Ducs de Bourgogne,* Paris, 1909, Slatkine Reprints, 1970.
J. Huizinga, *l'Automne du Moyen Âge,* Payot, 1977.
Sur Froissart
F.S. Shears, *Froissart, Chronicler and Poet,* Londres, 1930.
P.F. Dembowski, *Jean Froissart and his Meliador...* Lexington, 1983.
Sur Georges Chastellain
J.C. Delclos, *le Témoignage de Georges Chastellain, historiographe de Philippe le Bon et de Charles le Téméraire,* Droz, 1980.
Sur Philippe de Commynes
J. Dufournet, *la destruction des mythes dans les Mémoires de Philippe de Commynes,* Droz, Genève, 1966.

LES FORMES THÉÂTRALES AUX XIVe ET XVe SIÈCLES

Éditions et/ou traductions

Arnoul Gréban, *le Mystère de la Passion,* éd. O. Jodogne, Bruxelles, 1965, trad. M. de Combarieu et J. Subrenat, Folio, Gallimard, 1987.
Estoire de Griseldis, éd. M. Roques, Droz, TLF, 1957.
Eustache Mercadé, *la Passion d'Arras,* éd. J.-M. Richard, 1891, réimpr. Genève, 1976.
La *Farce du Cuvier,* le *Franc Archer de Bagnolet,* la *Moralité de l'Aveugle et du Boiteux* (d'Andrieu de la Vigne) sont traduites

dans C.-A. Chevallier, *Théâtre comique du Moyen Âge,* 10/18, 1973.

La Farce de Maître Pathelin, éd. J.-Cl. Aubailly, SEDES, Paris, 1979 (comporte aussi *le Nouveau Pathelin* et le *Testament de Pathelin*) ; éd. et trad. J. Dufournet, Garnier-Flammarion, 1986.

Jean Michel, *le Mystère de la Passion,* éd. O. Jodogne, Gembloux, 1959.

Miracles de Notre-Dame, éd. G. Paris et U. Robert, 8 vol., SATF.

Passion des jongleurs, éd. A. Perry, Beauchesne, 1981.

Passion du Palatinus, éd. G. Franck, Champion, CFMA, 1922.

Passion dite de sainte Geneviève, éd. G. Runnalls, Droz, TLF, 1974.

Études

J.-Cl. Aubailly, *le Monologue, le Dialogue, et la Sottie,* Champion, 1976.

B. Rey-Flaud, *La Farce ou la machine à rire. Théorie d'un genre dramatique,* 1450-1550, Droz, Genève, 1984.

ANNEXES

Chronologie

Il est très souvent difficile, et surtout pour le XIIe et le XIIIe siècles, de dater avec précision les œuvres médiévales. Alternent ainsi, dans la chronologie proposée, la datation des faits historiques (colonne du milieu) et la mention « circa » *(ca)* définissant une « fourchette » possible pour la datation des textes (colonne de droite).

Index des auteurs médiévaux

(voir p. 193)

Index des œuvres citées

(voir p. 217)

Ca **1050**		• *Vie de saint Alexis.*
1054	• Séparation des églises d'Orient et d'Occident.	
1060	• Début de la conquête de la Sicile par les Normands.	
1066	• Bataille d'Hastings.	
1095-1099	• Première croisade. Prise d'Antioche et de Jérusalem.	
1100	• Henri Ier Beaucler, roi d'Angleterre.	
Ca **1100**		• *Chansons — de Roland ; — de Gormont et Isembart ; — de Guillaume.* • Poésies de Guillaume IX (1071-1127).
1108	• Règne de Louis VI.	• Benedeit ; *le Voyage de saint Brendan.*
Ca **1110-1130**		• Alberic, *Alexandre.* • Philippe de Thaun, *Bestiaire.*
Ca **1130-1150**		• Poésies — de Marcabru ; — de Jaufré Rudel. • Geoffroy de Monmouth, *Historia regum Britanniae* (1137).
1137	• Règne de Louis VII.	
1147-1150	• Deuxième croisade	• Gaimar, *Estoire des Engleis.* • *Chansons — du Couronnement Louis ; — du Charroi de Nîmes ; — de la Prise d'Orange.* • Poésies de — Bernard de Ventadour ; — de Raimbaut d'Orange (...1147-1170...).
Ca **1150**		• *Roman de Thèbes.* • *Conte de Floire et Blancheflor.* • *Chansons — du Voyage de Charlemagne* (?) ; *— de Girart de Roussillon* (?).

1152	• Louis VII répudie Aliénor d'Aquitaine qui épouse Henri Plantagenêt.	
1154	• Henri Plantagenêt, roi d'Angleterre.	• *Jeu d'Adam.*
1155	• Frédéric Barberousse, empereur d'Allemagne.	
***Ca* 1155**		• Wace, *Roman de Brut.* • *Roman d'Énéas.*
***Ca* 1160**		• Benoît de Sainte-Maure, *Roman de Troie.* • Wace, *Roman de Rou.* • *Alexandre* (version décasyllabique).
***Ca* 1165**		• Chrétien de Troyes, *Érec et Énide.* • Poésies de Guiraut de Borneilh (...1162-1199...). • *Chanson du Moniage Guillaume.*
1170	• Assassinat de Thomas Becket.	
***Ca* 1170-1175**		• Étienne de Fougères, *Livre des Manières.* • Guernes de Pont-Sainte-Maxence, *Vie de saint Thomas Becket* (1174). • Thomas, *Tristan.* • *Roman de Renart,* Branches II et Va (premières branches).
***Ca* 1176-1179**		• Benoît, *Chronique des Ducs de Normandie.* • Marie de France, *Lais.* • Chrétien de Troyes, *Cligés.* • Gautier d'Arras, *Éracle. Ille et Galeron.* • Chrétien de Troyes, *Le Chevalier de la charrette ; Le Chevalier du Lion.* • *Roman de Renart,* Branche I.
1180	• Règne de Philippe-Auguste.	
***Ca* 1180-1190**		• Marie de France, *Fables.*

1187	• Saladin reprend Jérusalem.	• *Chansons — de Raoul de Cambrai* (?) ; *— d'Antioche ; — de Jérusalem ; — Aliscans.* • Poésies de — Arnaut Daniel (...1180-1195...) ; — Bertran de Born (...1159-1195...). • Béroul, *Tristan* (?). Chrétien de Troyes, *Conte du Graal.* • *Roman de Partonopeus de Blois.* • *Alexandre* (version d'Alexandre de Paris). • Aymon de Varennes, *Florimont* (1188).
1189	• Règne de Richard Cœur de Lion.	
***Ca* 1189-1199**		• Poésies de — Blondel de Nesle ; — Conon de Béthune ; — Gace Brulé ; — le Châtelain de Coucy. • *Chanson d'Aspremont.*
1191	• Début de la troisième croisade. prise de Saint-Jean-d'Acre.	• Marie de France, *Espurgatoire Saint Patrice.* • Ambroise, *Histoire de la 3e croisade.* • *Premières Continuations du Conte du Graal.*
***Ca* 1195**		• Hélinand, *Vers de la Mort.* • *Le Poème moral.* • Jean Bodel, *Chanson des Saisnes.* • Hue de Rotelande, *Ipomédon.* • Renaut de Bâgé, *Le Bel Inconnu.*
1199	• Règne de Jean sans Terre.	
***Ca* 1200**		• Robert de Boron, *Le Roman de l'Estoire dou Graal.* • Jean Bodel, *Fabliaux, Jeu de Saint Nicolas.* • *Chansons de — La Chevalerie Vivien ; — Fiérabras.* • *Passion* (narrative) *dite des Jongleurs.* • *Chansons d'Ami et Amile ; — Girart de Vienne ; — Girart de Roussillon ; — Aymeri de Narbonne.* • ***Lais anonymes.***

		• Robert de Boron (?), *Joseph et Merlin* en prose. • *Aucassin et Nicolette* (?). • Jean Renart, *l'Escouffe, le Lai de l'Ombre.* *Courtois d'Arras.*
1202	• Début de la quatrième croisade.	• Jean Bodel, *Congés.*
1204	• Prise de Constantinople.	
***Ca* 1205**		• Guiot de Provins, *Bible.* • Poésies de Peire Cardenal (...1205-1272...).
***Ca* 1208-1213**		• *Histoire ancienne jusqu'à César.* • Robert de Clari, *Chronique.* • Villehardouin, *Chronique.* • *Chanson des Narbonnais.*
1209	• Début de la croisade contre les Albigeois.	
***Ca* 1210**		• *Le chevalier au Barisel* (?). • Raoul de Houdenc, *Meraugis de Portlesguez, la Vengeance Raguidel.* • 1re partie de la *Chanson de la croisade albigeoise.*
1214	• Bouvines.	
1215	• Quatrième concile de Latran.	
***Ca* 1215-1220**		• *Les Faits des Romains* (1213-1214). • Hugues de Berzé, *Bible.* • *Durmart le Galois.*
***Ca* 1220-1230**		• *Chanson de Huon de Bordeaux.* • Gautier de Coincy, *Miracles de Notre-Dame.* • Guillaume le Clerc, *le Besant de Dieu.* *Lancelot* en prose. *Perlesvaus Jaufré.*
1223	• Règne de Louis VIII.	
1226	• Louis IX roi de France.	• *Vie de Guillaume le Maréchal.*
***Ca* 1228**		• Jean Renart, *Guillaume de Dole.*

***Ca* 1230**		• *Vie des Pères* (1re rédaction). Guillaume de Lorris, *Roman de la Rose.* • *La Queste du saint Graal. La Mort le roi Artu. Tristan* en prose (1re rédaction). • Poésies — de Guillaume le Vinier ; — de Thibaut de Champagne (1201-1253). • Gerbert de Montreuil, *Roman de la Violette.* • *Continuations du Conte du Graal* de Gerbert et de Manessier.
1234	• Majorité de Louis IX.	
***Ca* 1235**		• Huon de Méry, *le Tournoiement de l'Antéchrist.*
***Ca* 1240**		• *Guiron le Courtois. L'Estoire Merlin. L'Estoire del saint Graal. Tristan* en prose (2e rédaction). • Gossuin de Metz, *l'Image du Monde.* • Jacques d'Amiens, *li Remèdes d'Amours.* • *La Chanson de la croisade albigeoise* (2e partie). • Poésies de Colin Muset. • Tibaut, *Roman de la Poire.* • Philippe de Beaumanoir, *la Manekine.* • Rutebeuf, Poèmes sur l'Université.
1248	• Septième croisade : Louis IX en Égypte.	
1250	• Désastre de la Mansourah.	
1254	• Conflits à l'Université de Paris.	
1259	• Traité de Paris : annexion du Languedoc.	
***Ca* 1260-1270**		• Robert de Blois, *l'enseignement des Princes.* • Philippe de Novare, *les Quatre Ages de l'homme.* • Alard de Cambrai, *Le Livre de philosophie.* • Rutebeuf, *Poèmes de l'Infortune.* • *Le Garcon et l'aveugle* (?). • Rutebeuf, *Miracle de Théophile.*
avant 1267		• Brunetto Latini, *le Livre du Trésor.*

1270	• Louis IX meurt à Tunis. • Règne de Philippe III.	
***Ca* 1270-1280**		• Adenet, *Chansons de — Bueves de Commarchis ; — Berte au grant pié* et *— Enfances Ogier.* • Jean de Meun, *Roman de la Rose.* • Baude Fastoul, *Congés* (1272). • Heldris de Cornouaille, *le Roman de Silence.* • Flamenca — *Jouffroi de Poitiers.* • *Grandes Chroniques de France* (1274). • Adam de la Halle, *Congés ; Jeu de la Feuillée* (1276-1277). • Frère Laurent, *la Somme le Roi.* • *Escanor.* • *La Clef d'Amour* (1280).
1283		• Philippe de Beaumanoir, *Coutumes de Beauvaisis.* • Adam de la Halle, *Jeu de Robin et de Marion.*
1285	• Règne de Philippe le Bel.	
***Ca* 1285-1290**		• Matfré Ermengau, *Breviari d'Amor* (1288). • Jacquemart Giélée, *Renart le Nouvel* (1289). • Drouart la Vache traduit l'*Art d'aimer* d'Ovide (1290). • Jakemes, *Roman du Châtelain de Coucy et de la dame du Fayel.* • Adenet, *Cléomadés.*
1291	• Chute de Saint-Jean-d'Acre.	
1298		• Marco Polo, *Livre des Merveilles.*
***Ca* 1300**		• Baudoin de Condé, *Voie de Paradis.* • Nicole de Margival, *Dit de la Panthère d'Amour.* • *Passion du Palatinus.*

1303	• Bataille de Courtrai.	
1307	• Procès des Templiers.	
1309	• La Papauté s'installe à Avignon.	• Joinville, *Vie de saint Louis.*
1310		• Gervais du Bus, *Fauvel* (1re rédaction).
***Ca* 1300**		• Jean de Condé, *Œuvres poétiques.*
1314	• Règne de Louis X.	• Henri de Mondeville, *Chirurgie.*
		• *Fauvel* (2e rédaction).
		• Jean Maillart, *Roman du comte d'Anjou.*
1316	• Règne de Philippe V.	
1322	• Règne de Charles IV.	
1327		• *Renart le Contrefait* (1re rédaction).
1328	• Règne de Philippe VI de Valois.	• *Ovide moralisé.*
		• *Leys d'amor* (1re rédaction).
1330		• Guillaume de Diguleville, *Pèlerinage de Vie humaine.*
1337	• Début de la Guerre de Cent Ans.	
1339		• *Miracles de Notre-Dame* (1339-1382).
1340		• Machaut, *Remède de Fortune.*
***Ca* 1340**		• *Perceforest.*
1342	• Clément VI Pape.	• *Renart le Contrefait* (2e rédaction).
	• Combats en Bretagne.	
1346	• Bataille de Crécy.	• Machaut, *Jugement du roi de Bohème.*
1347	• Reddition de Calais.	
1348-1350	• Peste Noire.	• Machaut, *Jugement du roi de Navarre.*
1350	• Règne de Jean II (Jean le Bon).	
***Ca* 1350**		• *Chansons — de Tristan de Nanteuil ; — de Baudoin de Sebourc.*
		• *Ysaye le Triste.*
		• *Passion* dite *de sainte Geneviève.*

		• Jean le Bel, *Chroniques* (1352-1361).
1356	• Bataille de Poitiers.	• Jean de Mandeville, *Voyages.*
1356-1358	• Troubles à Paris (Étienne Marcel).	• Traduction de Tite-Live par Bersuire.
		• Machaut, *le Confort d'Ami.*
		• *Chanson du Chevalier au cygne.*
1360	• Traité de Brétigny.	• Machaut, *la Fontaine amoureuse.*
1362	• Philippe le Hardi reçoit la Bourgogne.	• Machaut, *le Voir Dit* (1362-1365).
		• *Chanson de Hugues Capet.*
1364	• Règne de Charles V.	
***Ca* 1365**		• Froissart, *l'Espinette amoureuse.*
1369	• Reprise de la guerre.	
1370	• Du Guesclin devient Connétable.	• Jean Le Fèvre, traduction de Mathéolus.
		• Froissart, 1er livre des *Chroniques.*
1374		• *Livre du Roy Modus.*
1378	• Début du Grand Schisme.	• *Le Songe du Verger.*
1380	• Règne de Charles VI.	• Cuvelier, *Chanson de Du Guesclin.*
	• Mort de Du Guesclin.	• Froissart, *Méliador.*
1384	• Philippe le Hardi comte de Flandres.	
1387	• Louis d'Orléans épouse Valentine Visconti.	• Gaston Phébus, *Livre de chasse.*
		• Froissart, *le Temple d'Honneur.*
1389		• Philippe de Mézières, *le Songe du Vieil Pèlerin.*
		• Honoré Bonet, *l'Arbre des Batailles.*
		• Eustache Deschamps, *l'Art de Dicter.*
1392	• Folie de Charles VI.	• Jean d'Arras, *Mélusine.*
1394	• Naissance de Charles d'Orléans.	
1395		• *L'Estoire de Griseldis* (jeu par personnages).
1396	• Défaite de Nicopolis.	
	• Jean Gerson, chancelier de l'Université de Paris.	

Ca **1400**		• *Les Quinze Joies de Mariage.* • Enguerrand de Monstrelet, *Chroniques* (1400-1444).
1401		• *Sermons* de Jean Gerson (1401-1413).
1402		• Querelle du *Roman de la Rose.* • Confrérie parisienne de la Passion.
1403		• Christine de Pizan, *Dit de la Pastoure.*
1404	• Mort de Philippe le Hardi.	• Ch. de Pizan, *Livre des fais... de Charles V ; Livre de Mutacion de Fortune.*
1405		• *Journal d'un bourgeois de Paris* (1405-1449).
1407	• Assassinat de Louis d'Orléans.	• Ch. de Pizan, *Cent Ballades d'Amant et de Dame.*
1408		• Ch. de Pizan, *Livre du Corps de Policie.* • Jean Lefèvre de Saint-Rémy, *Chroniques* (1408-1436). • *Livre des faits de Boucicaut.*
1415	• Bataille d'Azincourt. • Charles d'Orléans, prisonnier des Anglais.	• Charles d'Orléans, *Poésies.*
1418	• Les Bourguignons prennent Paris.	
1419	• Assassinat de Jean sans Peur.	• Georges Chastellain, *Chroniques* (1419-1475). • Eustache Mercadé, *Passion d'Arras.*
1420	• Traité de Troyes.	
1422	• Mort de Charles VI et de Henri V d'Angleterre. • « Règne » de Charles VII.	• Alain Chartier, le *Quadrilogue invectif.* • Bucarius, le *Pastoralet.*
1424		• Alain Chartier, *la Belle Dame sans mercy.*
1429	• Jeanne d'Arc prend Orléans. • Sacre de Charles VII.	• Ch. de Pizan, *Ditié de Jeanne d'Arc.*
1431	• Jeanne d'Arc est brûlée à Rouen.	
1435	• Traité d'Arras.	• Olivier de la Marche, *Mémoires* (1435-1488).
1436	• Charles VII rentre à Paris.	
1437		• Charles d'Orléans, *la Departie d'Amour.*

1440	• Charles d'Orléans revient en France.	
1441		• *Mystère du siège d'Orléans.*
1450	• Victoire de Formigny (Reconquête de la Normandie).	
***Ca* 1450**		• *Histoire de Gilion de Trazegnies.*
1452		• Arnoul Gréban, *Mystère de la Passion.*
1453	• Prise de Constantinople par les Turcs.	
1454	• Banquet du Faisan.	• Villon, *Lais.*
1456	• Réhabilitation de Jeanne d'Arc.	• Antoine de La Sale, *Jean de Saintré.*
1457		• René d'Anjou, *Livre du cuer d'Amour espris.*
avant 1458		• *Le Roman de Guillaume d'Orange.*
1458		• David Aubert, *Chroniques et Conquestes de Charlemagne.*
		• Charles d'Orléans, Cour de Blois.
1461	• Règne de Louis XI.	• Villon, *Testament.*
		• Jean de Bueil, *le Jouvencel* (*Ca* 1461-1466).
		• *Le Roman du Comte d'Artois* (*Ca* 1453-1467).
***Ca* 1465**		• *Les Cent Nouvelles nouvelles.*
1465	• Mort de Charles d'Orléans.	• *Farce de Maître Pathelin.*
	• Bataille de Montlhéry.	
1467	• Charles le Téméraire, duc de Bourgogne.	• *Le Roman de Saladin.*
1468	• Entrevue de Péronne.	• *Le Franc-Archer de Bagnolet.*
1470	• 1re imprimerie à la Sorbonne.	• *Mystère des Actes des Apôtres.*
1472	• Commynes trahit Charles le Téméraire.	
1477	• Mort de Charles le Téméraire.	
1486		• Jean Michel, *Mystère de la Passion.*
		• Commynes, *Mémoires* (1489-1498).

Index des auteurs médiévaux

On trouvera ci-dessous, très généralement, des indications sur la période de production des auteurs cités, les dates précises de naissance et de mort faisant bien souvent défaut. Seuls sont répertoriés, sauf rares exceptions, les auteurs de langue française (par ordre alphabétique des prénoms).

Index
des œuvres citées

N.B. : Le terme de « roman » signifiant au Moyen Âge « texte composé en français » et qualifiant de ce fait des œuvres très diverses, les textes souvent dénommés « Roman de Thèbes », « Roman de la Rose », « Roman de Renart », etc., ont été classés à « Thèbes », « Rose », « Renart », etc.

Berger-Levrault, Nancy — 775792-06-1988.
Dépôt légal : juin 1988
Imprimé en France